O grande mentecapto

fernando
Sabino

O grande mentecapto

*Relato das aventuras e desventuras
de Viramundo e de suas
inenarráveis peregrinações*

88ª edição

EDITORA RECORD
RIO DE JANEIRO • SÃO PAULO
2025

CIP-BRASIL. CATALOGAÇÃO NA FONTE
SINDICATO NACIONAL DOS EDITORES DE LIVROS, RJ.

S121m
88ª ed.

Sabino, Fernando, 1923-2004
O grande mentecapto / Fernando Sabino – 88ª ed. –
Rio de Janeiro: Record, 2025.

ISBN 978-85-01-91280-0

1. Romance brasileiro. I. Título.

82-0684

CDD – 869.93
CDU – 869.0(81)-31

Capa: Victor Burton

Proibida a reprodução integral ou parcial em livro ou qualquer outra forma de publicação sem autorização expressa do autor.
Reservados todos os direitos de tradução e adaptação.
Copyright © 1989 by Fernando Sabino.

Este livro foi revisado segundo o novo Acordo Ortográfico da Língua Portuguesa.

DISTRIBUIDORA RECORD DE SERVIÇOS DE IMPRENSA S.A.
Rua Argentina, 171 – Rio de Janeiro, RJ – 20921-380 – Tel.: (21) 2585-2000

Impresso no Brasil

ISBN 978-85-01-91280-0

Seja um leitor preferencial Record.
Cadastre-se em www.record.com.br
e receba informações sobre nossos
lançamentos e nossas promoções.

EDITORA AFILIADA

Atendimento e venda direta ao leitor:
sac@record.com.br

Todo aquele, pois, que se fizer pequeno como este menino, este será o maior no reino dos céus.

Mateus, XVIII, 4

SUMÁRIO

CAPÍTULO I
De como Geraldo Viramundo, tendo nascido em Rio Acima, foi parar no seminário de Mariana, depois de virar homem, levado por um padre que um dia passou por lá. / 9

CAPÍTULO II
Onde não se conta nada do que se passou com Geraldo no seminário de Mariana, mas se explica como ele saiu de lá e se tornou Viramundo. / 33

CAPÍTULO III
Da controvérsia existente em torno do nome de Geraldo do Viramundo, e da sua longa viagem de Mariana a Ouro Preto, onde conheceu aquela que viria a ser a sua amada a vida inteira. / 53

CAPÍTULO IV
De como Viramundo colheu rosas e espinhos em Barbacena, indo parar num hospício de onde logrou fugir, graças a uma treta bem-sucedida, e acabou candidato a prefeito da cidade. / 83

CAPÍTULO V
Das mirabolantes aventuras de Viramundo no Esquadrão de Cavalaria em Juiz de Fora e das suas façanhas durante as manobras militares, que acabaram por devolvê-lo à vida civil. / 109

CAPÍTULO VI
Da passagem musical de Viramundo por São João del Rei, sua estada na prisão de Tiradentes e o crime de João Tocó, até a crise espiritual que o levou à desesperança em Congonhas do Campo. / 139

CAPÍTULO VII
Onde Viramundo, depois de pegar touro à unha em Uberaba, vai de Ceca em Meca para cumprir o seu destino, reverenciando a literatura mineira, passando a noite com um fantasma e quase morrendo por uma mulher. / 169

CAPÍTULO VIII
Viramundo, em Belo Horizonte, entre retirantes, mulheres, doidos e mendigos, cumpre o seu destino. / 197

EPÍLOGO / 229

BIBLIOGRAFIA / 235

CITAÇÕES E REFERÊNCIAS EM *O GRANDE MENTECAPTO* APRESENTADAS PELO AUTOR / 237

SOBRE O AUTOR / 251

CAPÍTULO I

*De como Geraldo Viramundo, tendo nascido em
Rio Acima, foi parar no seminário de Mariana,
depois de virar homem, levado por um padre
que um dia passou por lá.*

O VERDADEIRO NOME de Geraldo Viramundo, embora ele afirmasse ser José Geraldo Peres da Nóbrega e Silva, era realmente Geraldo Boaventura, e assim está lançado no livro de nascimentos em Rio Acima. Seu pai, um português, tinha vindo para o Brasil em 189***, na primeira leva de imigrantes que sucedeu ao decreto de nova política imigratória da República recém-proclamada, e se casou no Rio com uma italiana naquele mesmo ano. Como ele foi acabar morando em Rio Acima, só Deus sabe.

Boaventura tinha junto à estrada sua casinhola, à frente da qual duas portas se abriam para o pomposamente chamado "Armazém Boaventura — Secos e Molhados", não mais que uma venda, de cujos proventos vivia a família toda — e eram treze filhos. Geraldo vinha a ser o caçula. Quando nasceu, o pai, temendo a crise que se sucedeu então à Guerra Mundial, cujas consequências poderiam chegar até Rio Acima, adotou nova política com relação à Dona Nina, sua mulher. Ou, mais precisamente, com relação às suas relações: deixou de fornicar com ela até que as coisas melhorassem. Já não era pouco ter de cuidar de treze meninos, que iam crescendo moleques de beira de estrada. A estrada de Belo Horizonte ao Rio passava pela sua porta. Com o correr do tempo ela ia derrotando como fonte de renda a cidadezinha, onde logo se fez sentir a esmagadora concorrência de um grande empório aberto por uns italianos já donos da olaria. Mas a estrada era também a maior fonte de preocupações do casal. Nada direi com relação aos outros filhos, senão na medida em que participaram mais diretamente da infância de Geraldo, que é de quem cuida a nossa história. Este, tão logo se fez gente e capaz de equilibrar-se nas próprias perninhas, começou a trazer os pais em constante preocupação por causa da estrada. Construída junto a uma simples picada (o pai não tinha ainda seu negocinho, e trabalhava na olaria), a casinha acabou ficando com a estrada à sua porta. Por um triz os engenheiros com seus traçados e mapas não levaram de cambulhada com árvores, pedras e barrancos a morada do Boaventura. (Corria em Rio Acima que ele viera para o sertão de Minas com a mulher, fugindo das autoridades imigratórias que queriam mandá-los de volta; outros diziam que ele fugia era da justiça, por causa de um crime, cometido ainda a bordo. Mas tudo isso não passava de conjectura, e nenhuma importância tem para o nosso relato.) De tal maneira ficou sendo a estrada parte integrante da casa, que a filharada do casal cresceu toda no meio dela. Um dos filhos, dizem que quase nasceu na estrada, quando Dona Nina, já no nono mês, sucumbiu ao peso de um feixe de lenha; outro, contudo, o mais velho, é certo que foi gerado ali, exatamente junto à curva, quando nem casa nem estrada havia. No princípio só passavam por ela carros de boi e outras vagarosas viaturas de tração animal, que de longe se avistavam, dando sinal de alarme e pedindo passagem. Mas logo começaram a trafegar os primeiros automóveis, e os meninos fugiam como galinhas, para voltar em seguida. Às vezes um carro se detinha e, sob o olhar de curiosidade da meninada, os viajantes pediam água, ou compravam qualquer coisa e seguiam, levantando poeira.

Apesar da estrada, que ele já apanhou bastante mais movimentada e atraente, a infância de Geraldo Viramundo transcorreu como a de seus irmãos. Como seus irmãos ele comeu terra, botou lombrigas, arrebentou cupim para ver como era dentro, seguiu as formigas para ver aonde iam, misturou açúcaɪ com sal no armazém, furtou garrafa de guaraná e depois mijou dentro botando no lugar para o pai não descobrir, brincou com fogo e mijou na cama, brincou de pegador, tic-tac carambola, este dentro e este fora, matou passarinho com bodoque, enterrou ovo choco e fez fogo em cima para ver se nascia pinto, foi mordido de marimbondo e ficou de cara inchada, amarrou lata vazia em rabo de gato, fez galinha dançar em cima de lata quente, contou com o ovo no rabo da galinha, enfiou o dedo no rabo dela, teve sarampo, catapora, caxumba e coqueluche, pegou sarna para se coçar, correu de boi bravo, botou cigarro na boca de sapo para ele fumar até rebentar, se escondeu na cesta de roupa suja para ver a irmã mais velha tomar banho, quis pegar a irmã mais nova e depois teve remorso, perdeu a virgindade numa cabrita, fugiu de casa e apanhou e por isso tornou a fugir e por isso tornou a apanhar, construiu casinhas de barro, caiu da árvore e se machucou, comeu manga com leite e adoeceu, contou as estrelas do céu e ficou com berrugas, pegou carona em caminhão, aprendeu a ler na escola, fez do travesseiro o corpo da professora, teve medo do João Carangola que fugiu da prisão e gostava de menino, assobiou e chupou cana ao mesmo tempo, fumou cigarro de chuchu, fez coleção de favas, foi à missa aos domingos, assistiu a fita de Tom Mix, Buck Jones e Carlito no cineminha da cidade, apanhou bicho-de-pé, pisou em urina de cavalo e ficou com mijacão, armou arapuca no mato, jogou futebol com bola de meia, teve dor de dente de noite, foi coroinha na igreja, contou quantas vezes fazia coisa feia para se lembrar na confissão, procurou não mastigar a hóstia para que não saísse sangue, fez flautinha de bambu, ficou preso pela piroca num gargalo de garrafa, molhou o pijama de noite e teve medo de estar doente, ficou com pedra na maminha e perguntou à mãe o que era, se apaixonou pela filha mais velha dos italianos do empório, tirou o cavalinho da chuva, pensou na morte da bezerra, chorou escondido, teve medo, descobriu que o céu era imenso, teve vontade de morrer, ficou acordado de madrugada ouvindo o galo cantar sem saber onde, sentiu dores nos culhões, comeu a negra Adelaide e virou homem.*

NÃO POSSO FAZER Geraldo Viramundo virar homem sem antes falar no rio. Só quem passou a infância junto a um rio pode saber o que o rio significava para ele. Eu, como não

---

*À margem das anotações recolhidas durante minhas pesquisas sobre a vida de Geraldo Viramundo, há uma rubrica de meu próprio punho que diz: "O episódio da negra Adelaide merece ser contado." Mas isto faz tempo que anotei, e não me lembro absolutamente o que apurei na época sobre a negra Adelaide, naquilo que concerne ao nosso herói. (N. do A.)

passei a minha, não posso saber. Sei só que Geraldo, mal acabava a aula na escola, saía correndo feito doido em direção ao rio, do outro lado da cidade. Às vezes iam com ele alguns companheiros, os irmãos; às vezes ele ia só. Lá chegando, tirava a roupa toda e se atirava n'água, mesmo que estivesse fazendo frio. Quando outros iam com ele, ficavam brincando de se empurrar, fazer guerra de água, mergulhar para passar debaixo das pernas uns dos outros ou simplesmente para fazer borbulha. Os mais corajosos conseguiam cruzar a correnteza a nado e atingir a outra margem. Um dia um menino morreu afogado, um negrinho chamado Brejela, mas nesse dia Geraldo Viramundo não estava lá, e portanto nada tem a ver com a nossa história. Quando ele ia só, em vez de pular de uma vez dentro d'água, ia entrando devagarinho, enterrando-se até a canela no barro viscoso do fundo. A água, em geral gelada, fazia seu corpo estremecer num arrepio que subia, subia... e era disso que ele mais gostava. Quando suas pernas estavam quase desaparecidas por completo na superfície barrenta, o arrepio já na altura da virilha, ele em geral parava. O frio, cortante como navalha, parecia separá-lo em dois, como se as pernas fossem independentes do resto do corpo. Olhava para cima, para o céu que escurecia com o sol posto, e para baixo, para o próprio sexo que mal tocava a superfície, encolhido como um passarinho a beber água. Retardava o mais possível o momento de se molhar completamente, porque sabia que no fim o frio acabava lhe dando uma sensação de prazer tão aguda como a dor. Só então se atirava de cabeça, mergulhando. Nadava para o meio do rio, mergulhava de novo e lá embaixo abria os olhos. Não enxergava nada, senão um vermelho escuro, grosso, impenetrável. O corpo largado ao sabor da correnteza se enredava nos ramos mais compridos das plantas do fundo, enquanto um rumor longínquo se fazia ouvir surdamente, como uma cachoeira submersa. Ele soltava o resto do ar e descia mais, tocando às vezes o fundo arenoso com os pés. Seus cabelos subiam, frouxos, abrindo-se feito uma planta monstruosa. Enquanto isso ele contava mentalmente: um, dois, três, quatro, cinco, seis, sete, vendo quanto tempo aguentava ficar sem respirar. Jamais contava menos de vinte, era uma questão de honra. Em geral chegava a trinta. Então ganhava rápido a superfície, sabendo que um segundo mais e morreria. Não podia tolerar a ideia de que o homem não conseguisse ficar debaixo d'água o tempo que quisesse, como os peixes. (Da ideia de que o homem um dia pudesse voar como os pássaros já tinha desistido, desde que viu pela primeira vez um avião.) Já na tona, percebia que a correnteza o arrastara para muito longe, que escurecera quase por completo e que no céu as primeiras estrelas brilhavam. A maior delas incidia diretamente sobre a água, multiplicando-se em reflexos, como se subisse o rio. Ele nadava, nadava, em sua perseguição, mas ela se afastava sempre. As árvores se aglomeravam em sombras nas duas margens, e não se ouvia senão o mugido distante de um boi, não se via senão o céu, com a estrela maior luzindo. Ele erguia os olhos para a estrela, agitando os braços n'água, e gritava com todas as suas forças: "Estreeeela! Olha eu aqui, estrela! Estreeeeela!" Ou simplesmente acenava-lhe com a mão, em despedida. E sentindo a solidão como uma força, dono do mundo e de si mesmo, soltava gargalhadas, antes de nadar para a margem. Depois voltava para as suas roupas, a correr, trêmulo de frio e de medo da escuridão. Em geral, ao chegar em casa, depois de todos já terem jantado, levava uma surra de chinela de Dona Nina e ia para a cama sem comer.

POR FIM, O TREM DE FERRO. O trem não parava em Rio Acima naquela época. Mas ainda assim sua existência era um deslumbramento para a molecada. Todos sabiam exatamente a hora que ele passava, e iam postar-se na estrada, no alto dos barrancos, junto à cerca de arame farpado, a esperá-lo, grandioso espetáculo diariamente repetido. Apostavam para saber quem é que iria vê-lo primeiro, colavam o ouvido no trilho para ouvir o ruído das rodas. Assim que alguém dava o alarme, todos se colocavam em posição e dentro em pouco uma fumacinha apontava longe, rolava no ar um ruído em crescendo e finalmente a locomotiva surgia lá embaixo, na curva da estrada.

— Hoje não apitou na curva! — um deles protestava, sem tirar os olhos da máquina. E o trem passava como um raio, num estrondo de ensurdecer, cobrindo o céu de fumaça, agitando loucamente as plantinhas das margens, fazendo os dormentes estremecerem no cascalho negro da estrada. Mal se podia ver quem ia nas janelinhas dos carros que, vidros brilhando ao sol, se sucediam vertiginosamente. Apesar disso, os que estavam embaixo corriam ao lado do trem, desatinados, enquanto os mais bem situados, em cima dos barrancos, com mais perspectiva, se limitavam a dar adeuses e bananas para os passageiros. Geraldo Viramundo, isolado num canto, ficava só olhando, olhando. Logo o trem ia se afundando na distância, levando consigo o barulho, a fumaça e a alegria dos meninos. Ficava no ar um vazio, que era o trem já ter passado sem que nada acontecesse de diferente, só restando esperar pelo dia seguinte.

O despeito maior de Geraldo Viramundo era o trem de ferro não parar em Rio Acima. Por que será que ele não parava?*

---

*Consta que a estação da Central foi inaugurada em 1890, o que não deixou de trazer algum impulso ao lugar. O certo é que, à época dos fatos aqui narrados, o trem não parava lá, sendo esta, mesmo, a causa do episódio que se segue. (*N. do A.*)

— Porque não tem estação — respondeu um de seus irmãos, quando um dia Geraldo propôs a questão ao grupo.

— Não tem estação o quê! — falou outro. — Aquilo lá não é estação?

E apontou para a casinha de um só quarto junto à estrada, onde estava escrito em letras pretas: RIO ACIMA.

— É porque não tem ninguém para tomar o trem.

Mas um terceiro destruiu também esta explicação:

— Não tem ninguém para tomar o trem porque o trem não para.

Ninguém ficou sabendo por que o trem não parava. Geraldo Viramundo calado, sem ouvir, pensando, pensando.

— Eu sei por que o trem não para.

Todos se voltaram para ele.

— Não para porque o maquinista não quer.

Um "oh!" prolongado exprimiu o desapontamento geral.

Geraldo Viramundo acrescentou, como se falasse para si mesmo:

— Mas se *eu* quiser, ele para.

Viu-se logo cercado de carinhas curiosas ou céticas. Ninguém sabia que misteriosa conexão poderia haver entre ele e o maquinista. Desafiavam:

— Deixa de conversa...

— Para nada...

— Nem se você deitar na linha ele para.

Alguém se lembrou de um boi que tinha sido esquartejado pela locomotiva ali mesmo, na curva — o que provava de maneira definitiva a impossibilidade de fazer o trem parar.

— Pois vocês vão ver...

Ficou tudo combinado, as apostas foram feitas. No dia seguinte, muito antes da hora em que o trem costumava passar, eles já tinham ido para junto da linha. Eram ao todo quinze: Dino, Zezico, Toninho, Vivi, Jacaré, Celito, Naná, João Mãozinha, João Piçudo e João Molenga, Pingolinha, Bertoldo e Nazaré — estes dois últimos irmãos de Geraldo — e duas meninas, a Cremilda, filha da professora e amada de todos eles, e a negrinha Salomé. A notícia da aposta com Geraldo Viramundo tinha se espalhado depressa, pois ele punha em jogo a sua afamada coleção de bolinhas de gude. Apostavam contra ela, respectivamente: um bodoque, um canivetinho com saca-rolha, uma fivela de cinto, outro bodoque, cinco botões de madrepérola, uma manga-espada, um estojo com lápis e borracha, outro bodoque, três bombinhas de São João e uma tira de espanta-coió, um vidro cheio de vaga-lumes, um pacotinho de pastilhas de hortelã-pimenta, um pião com a fieira, um canudo de lata, um beijo na boca e uma bexiga de boi — de acordo com as posses de cada um.

Geraldo Viramundo chegou com os bolsos cheios de bolinhas de vidro (nunca perdeu de ninguém na birosca), passou por baixo da cerca de arame farpado e subiu o barranco onde os outros já esperavam. De propósito tinha deixado que eles viessem antes, para dar mais importância ao acontecimento.

— Que é que você vai fazer? — alguns perguntaram.

Não se dignou de responder. Exigiu, antes, que enfileirassem na pedra grande do barranco tudo que eles apostavam. Menos a Cremilda, que perderia um beijo, segundo Geraldo tinha estipulado, porque senão não haveria nada.

— E você? — Cremilda quis saber. — Que é que você perde?

— Perco minhas bolas, já não falei? Dá mais de dez para cada um.

— Quero lá saber de bola de gude? — desafiou a menina, mãozinhas na cintura.

Geraldo riu:

— Então perco um beijo também, pronto.

E deu-lhes as costas, foi examinar um por um, com atenção, os objetos enfileirados em cima da pedra. Deteve-se num bodoque malfeito, de forquilha grande e torta.

— Isso é bodoque mais aonde! Não quero não.

João Molenga fez logo cara de choro.

— Tá bem, seu fresco, eu aceito: não é preciso chorar não.

Naná, o mais velho de todos, se adiantou:

— Não chama ele de fresco não, que ele é meu irmão.

— Merda pra você e pra ele.

A importância de Geraldo atingiu o auge naquele momento. Ninguém nunca tinha mandado Naná à merda sem ir também logo em seguida, e depois de apanhar na cara. Era o que provavelmente aconteceria, se alguém não tivesse gritado:

— Tá na hora! Evém o trem!

Ao longe apontava a primeira fumacinha, já conhecida. Viramundo desceu o barranco aos pulos, enquanto a molecada se ajeitava lá em cima. Escorregou para o leito da estrada, ouviu no ar o ruído da locomotiva cada vez mais forte. Ela já surgia lá longe, na curva, apenas uma mancha negra aumentando, aumentando. Geraldo Viramundo saltou sobre os trilhos, pulou dois dormentes e se postou sobre o terceiro, firme, pernas separadas, bracinhos erguidos. Os meninos lá em cima gritavam de horror, alguns fugiram, outros esconderam a cara.

— Sai, Geraldo! Sai! — berrou apavorado o Bertoldo, seu irmão.

A máquina, ameaçadoramente visível e crescendo como um demônio, apitou pela primeira vez. Depois apitou outra, mais outra — Geraldo Viramundo olhou para ela pela última vez e fechou os olhos, sentindo o dormente vibrar sob seus pés. O apito agora era continuado, as rodas rangiam nos trilhos, o barulho perdia o ritmo numa desordem de silvos e entrechoque de ferros. Geraldo, braços ainda erguidos, lembrou-se de prometer vinte ave-marias e vinte padre-nossos se o trem parasse — não se ele não morresse, mas se o trem parasse — e foi a última coisa de que se lembrou. Os freios rinchavam doidamente, a máquina esguichava fumaça e vapor por todos os lados, perdendo velocidade, já se podia distinguir o braço do maquinista do lado de fora em frenéticos sinais. Embora quase devagar, a locomotiva, a resfolegar como um touro enfurecido, já estava tremendamente perto quando se deteve, num arranque último e mais forte, que fez se chocarem com violência os carros uns nos outros do primeiro ao último.

No alto do barranco os meninos naquela sarabanda de emoção espiavam, pálidos, boquiabertos, desfigurados — os poucos que tiveram coragem de olhar. Geraldo Viramundo abriu devagarinho os olhos e viu de perto, a menos de dez metros, aquela máquina preta e enorme, avassaladora, a muralha de ferro do limpa-trilhos, o vidro do farol brilhando como o olho de Deus, aquele arfar incessante do monstro derrotado. Sentiu subir dentro de si uma onda de entusiasmo, agitou loucamente os braços, pulando sobre o dormente:

— Ele parou! Ele parou, pessoal! Ele parou!

O maquinista, no seu macacão riscadinho e sujo de carvão, descia com dificuldade a escadinha, seguido do foguista, enquanto das janelas dos carros cabeças assustadas e curiosas assomavam, no meio de um perguntar incessante: que aconteceu? que aconteceu?

— Menino filho da puta, eu te ensino! — gritava o maquinista, ganhando o chão, mas ninguém ouviu, tamanho era o ruído da caldeira, esguichando vapor e água fervente na estrada. Geraldo Viramundo saiu pulando de dormente em dormente e parou mais adiante, enquanto o maquinista tentava alcançá-lo, gemendo de dor, pois levara uma esguichada de vapor nas canelas.

— Parou, pessoal! Eu não disse que parava? Parou!

Já não podia mais de alegria. Dançava sobre o carvão miúdo da estrada, como um doido. Depois ganhou o barranco com um salto, no justo momento em que o maquinista ia alcançá-lo. Quase foi apanhado pela perna, mas nem viu seu perseguidor. Corria agora ao longo do barranco, se aproximando dos companheiros. Num último olhar de orgulho para a máquina lá embaixo, se deteve bem no alto e bateu no peito:

— Eu! Eu fiz o trem parar!

Retirou do bolso as mãos cheias de bolinhas de vidro de todas as cores, jogou-as para cima:

— Toma, negrada! Não quero aposta nem nada! Quantas bolas quiserem! Todas, todas! Parou, vocês viram? Eu disse que parava!

E mediu com o olhar o tamanho do comboio, como se avaliasse a extensão de sua façanha. A seus pés, o maquinista tentava subir o barranco, enlouquecido de raiva, vermelho, suado, aos palavrões. O chefe do trem se aproximava:

— Que foi? Que aconteceu? Por que você parou?

— Foi essa peste de menino que ficou na linha!

Alguns passageiros tinham descido dos carros para vir espiar. Geraldo Viramundo desbarrancou com o pé descalço um pouco de terra sobre a cabeça do maquinista. Os meninos já fugiam pelo pasto, com medo do chefe do trem. Na pedra grande não tinha ficado um só objeto. Ninguém pensou na hora em recolher as bolinhas, todos pensaram em voltar para buscá-las depois. Geraldo Viramundo nem olhou o que se passava na estrada: ignorou o chefe do trem e o foguista que já subiam o barranco, para apanhá-lo, cada um de um lado, e enfiou-se pela cerca de arame farpado, ganhou também o pasto. Na fuga, passou pelo Pingolinha, que corria com dificuldade com suas perninhas tortas.

— Corre, Pingolinha! — gritou alegremente.

Do outro lado do pasto, junto do campo de futebol, avistou Cremilda no seu vestidinho curto, encostada numa árvore, olhando para todos os lados, pálida, ofegante, transfigurada de medo.

— Cremilda!

Acercou-se dela correndo, segurou-lhe o rosto com as duas mãos:

— Cremilda, eu quero o meu beijo.

A menina só teve tempo de encará-lo com olhos enormes. Ele beijou-a com tanto ímpeto que os dois rolaram no capim, abraçados.

— Mais, Cremilda, mais!

E tornava a beijá-la, às gargalhadas. Cremilda chorava.

Mais tarde, a caminho de casa, Geraldo Viramundo se lembrou dos dois irmãos que já deviam ter chegado, e era provável que contassem tudo para os pais. Estremeceu de medo, achou que talvez fosse melhor chegar de noitinha, e persignou-se. Então se lembrou da promessa de vinte ave-marias e vinte padrenossos. Resolveu rezar cinquenta, caso desta vez não apanhasse. Rezou vinte.

MAS O PIOR NÃO FOI ISSO. O trem acabou indo embora, para não aumentar o atraso, e tudo parecia indicar que o caso não teria maiores consequências. No dia seguinte Geraldo Viramundo era um herói na escola. Até a professora, mãe da Cremilda, já sabia da proeza, e, para aumentar-lhe a glória, passou-lhe um pito em plena aula. Depois o caso se espalhou pela cidade e de noite no botequim os homens contavam uns para os outros. Quando encontravam o Boaventura, gracejavam:

— Aquele seu filho é de fazer parar o trem.

No princípio o português ficava aborrecido e prometia mentalmente dar no filho mais umas surras adicionais, por conta da fama que o caso ganhou. Acabou, porém, se sentindo intimamente envaidecido, embora não o confessasse. E dizia para a mulher:

— Esse menino às vezes me deixa admirado. Ele tem qualquer coisa que eu não sei não.

Quando Geraldo Viramundo passava pela olaria, os operários apontavam:

— Lá vai o moleque que fez o trem parar.

E muitos perguntavam a ele se era verdade, como é que tinha sido. Geraldo, em vez de se entusiasmar, não contava nada e concluía, pensativo:

— Esse povo é meio bobão.

Acabou tomando raiva do caso, que deu que falar durante algum tempo. Mas num domingo o Pingolinha, o menor de todos que o haviam presenciado (tinha cinco ou seis anos) e que ficara numa admiração sem limites pelo Geraldo Viramundo, resolveu imitar o seu herói: tomou por testemunha outro molequinho da mesma idade, e foi para a estrada de ferro fazer parar o trem. Um terceiro que ficou com medo de ir denunciou ao pai:

— O Pingolinha foi lá no trem de ferro fazer ele parar.

— Quem é "Pingolinha", menino?

O homem, logo que entendeu o que o filho dizia, saiu correndo afobado a avisar Seu Gervásio, o sapateiro, pai do Pingolinha. Alguém mais já chegava dizendo:

— Vi seu filho com um outro passando a cerca lá perto da estrada.

O sapateiro, que mesmo sendo domingo estava trabalhando, largou a sola e o martelo, na pressa entornou uma caixa de pregos e saiu desatinado. Em pouco todo mundo na rua sabia e foi também para lá, engrossando uma pequena multidão. O trem sempre passava às três e quinze, três e vinte da tarde, com os atrasos. E o sino da matriz tinha acabado de bater três horas.

Avistando de longe o negro Tobias, encarregado da estrada, Seu Gervásio gritou, aflito, enquanto corria pelo pasto, cortando caminho:

— Ô Tobias, o trem já passou? O trem já passou?

Já tinha passado. Naquele dia o trem não se atrasou.

Uma hora mais tarde o sapateiro voltava pela picada, caminhando devagar, como um autômato, e seguido pelos outros como numa pequena procissão, a carregar nos braços, enrolado no próprio avental, o que restava do corpo do Pingolinha. Não via nada, olhos imóveis e saltados, não ouvia nada, embora os outros falassem baixinho com ele, tentando consolá-lo, tirar-lhe o filho dos braços.

Eram sete horas e já estava escuro, enquanto continuava a chegar gente na casa do Seu Gervásio, no fundo da sapataria. Era uma casa de chão de tijolo e coberta de telha vã. Havia duas velas acesas e uma coisa informe embrulhada em cima da mesa. O vigário já estava lá, acabando de improvisar um altarzinho. A um canto as mulheres puxavam o terço. Os irmãos do Pingolinha espiavam da porta do quarto, uma escadinha de moleques de pé descalço, sujos e barrigudos: olhavam admirados para o lençol enrolado sobre a mesa, sem saber o que continha. A mãe chorava baixinho, recostada no ombro de outra mulher. Entre os homens mais afastados, corria de mão em mão uma garrafa de cachaça, e um rumor se engrossava:

— ...se não fosse ele.

— ...peste de menino.

— ...é coisa que se invente? Só com o diabo no corpo.

— ...e em vez do filho da mãe morrer, quem morre é o outro.

— ...que não tinha nada com isso.

— Que não tinha.

Alguém de repente perguntou:

— E por que será que o Boaventura não veio?

— Português safado: não teve coragem de vir.

Este era um que devia na venda do Boaventura. Mas a onda ia aumentando e em pouco um mais exaltado gritava:

— Pois vamos lá saber por que é que ele não veio.

E saiu à rua. Os outros o seguiram, a sala se esvaziou. O sapateiro quieto num canto, sem ver nada, sem falar nada, lágrimas escorrendo pela cara, fazendo brilhar as cerdas brancas da barba. O vigário correu para a porta:

— Não façam isso! Onde é que vocês vão?

Ninguém respondeu. Ganharam a estrada e tocaram para a casa do português. Eram nove horas e o caminho estava escuro, não se enxergava nada. Dois faróis rasgaram a noite, uma buzina pediu passagem e logo o caminhão se perdeu na escuridão com suas luzinhas vermelhas a caminho de Belo Horizonte. Os homens retomaram a estrada e continuaram, envoltos numa nuvem de poeira, cada vez mais excitados, dispostos a tudo.

Boaventura não tinha ido simplesmente porque não sabia de nada. Como era domingo, tinha fechado a venda e assim ninguém esteve lá, ninguém lhe contou. Mas de nada adiantaram suas explicações. Os homens falaram alto, xingaram, cobriram de insultos toda a sua família. Só não acabaram depredando a casa dele e saqueando a venda porque de repente começou a cair uma chuva grossa, que os botou em debandada. Tremendo de raiva e humilhação, o português entrou de novo em casa, apanhou o chapéu e o guarda-chuva e tornou a sair.

No quarto, enquanto os irmãos dormiam, Geraldo Viramundo tinha ouvido tudo: a discussão lá fora na estrada e a gritaria dos homens o acordaram. Quando ouviu falar no trem de ferro, fora escutar da janela, escondido. Achou a princípio que ainda era o seu caso que tinha começado a dar complicação. Mas ficou sabendo logo que o trem tinha apanhado o Pingolinha. Sentiu de modo confuso que os homens lá fora o culpavam disso, culpavam seu pai. Voltou para a cama e chorou quase a noite toda.

No dia seguinte foi o enterro. Para espanto de todos, o Boaventura compareceu com a mulher e a filharada, todos calçados e arrumadinhos. Geraldo Viramundo usava uma roupa de brim ordinário, já meio apertada para ele. O pai havia estado na casa do sapateiro na noite anterior, e lá não encontrou mais ninguém: os outros se abrigaram da chuva no botequim, e o velório passara a ser feito de longe.

Aos dez anos de idade Geraldo Viramundo viu um enterro pela primeira vez.

COM O TEMPO o acontecimento foi sendo esquecido. No princípio perdurou na cidade certa animosidade contra o Boaventura, como se seus filhos fossem responsáveis pelo que de mal acontecia com os filhos dos outros. Os fregueses da venda diminuíram. Mas nem assim o português, que agora fornecia mantimentos para várias localidades vizinhas, deixava de ir lentamente prosperando. Breno, o filho mais velho, ajudava no armazém, e a estrada, cada vez mais movimentada, fazia o resto. Um belo dia, sem que ninguém soubesse como, Boaventura encomendou a construção de um bangalô na cidade. E os amigos foram voltando.

Geraldo Viramundo, que suportou a importância de ser ovelha negra entre os meninos da cidade, foi-se tornando de novo a figura apagada que corria pelos pastos, tomava banho no rio, empinava papagaios. Mas nunca mais se misturou com os outros. Afastou-se até dos irmãos e andava sempre sozinho, pelo cantos, ensimesmado e pensativo. Quando completou quinze anos, começou a trabalhar na olaria. Os outros irmãos já trabalhavam lá. Terminara o grupo escolar e passava o dia junto ao calor do grande forno, lidando com tijolos de barro como se fossem pães. De noite saía vagabundando pela rua, cruzava a ponte sobre o rio, às vezes, depois de muito andar, acabava saltando a cerca do pasto, ia sentar-se na pedra grande do barranco, junto à estrada de ferro. Lembrava-se da morte do Pingolinha — nunca mais esqueceria a impressão que teve no enterro, o caixãozinho branco que na última hora arranjaram, o cortejo a pé da sapataria ao cemitério, a cara do Seu Gervásio, a reza do Padre, a terra caindo na sepultura com um barulho oco. Olhava longamente os trilhos de aço que brilhavam à luz da lua, e se perdiam longe, no infinito. Sentia uma emoção tomá-lo de repente, que era a um tempo o medo da morte e uma vontade de partir. Nada ele desejava mais na vida que um dia tomar o trem e ir para longe, longe de todos, para um lugar que não sabia onde.

No dia que virou homem, um sentimento novo se apossou dele. Porque Geraldo Viramundo virou homem de repente, num dia em que, às quatro horas da tarde, olhou para o mundo e surpreendeu um de seus mistérios.

Era uma tarde de sábado, e ele estava deitado debaixo de uma mangueira no quintal de sua casa. Havia silêncio em tudo, pairando sobre as árvores e as coisas ao redor. O sino da igreja tinha acabado de bater. Então Geraldo Viramundo se apoiou nos cotovelos e estendeu o olhar, meio para longe, meio para cima. Centenas de vezes tinha estado ali, naquela mesma posição, era uma paisagem conhecida e tão familiar como o seu próprio modo de viver, que nela se completava. Mas naquele mesmo instante uma buzina de automóvel soou na estrada, um boi mugiu no pasto, uma menininha de vermelho passava correndo lá longe, na ponte, um vento leve começou a sacudir a ramagem das árvores. O momento assim surpreendido parecia conter um significado qualquer que lhe escapava, e a que tudo se subordinava, como as notas de uma música. Geraldo Viramundo se sentiu mais só do que quando mergulhava no rio, mas era uma solidão feita de desamparo e de saudade da infância — quando, minutos mais tarde, se ergueu e caminhou em direção à casa, percebeu que não era menino mais. O mugido do boi se repetiu, a menina de vermelho era agora plenamente visível, muito mais perto, e se tornava mesmo na filha do Seu Raimundo da olaria, levando a marmita do pai. Outra buzina se fez ouvir na estrada e o vento continuava a soprar sobre as árvores. Mas agora tudo eram incidentes naturais na paisagem, sem músicas e sem mistérios.

Logo a mãe o chamou da janela para a janta.

POR ESSA ÉPOCA, Boaventura se mudou para a cidade, deixando a casinha da estrada e a venda aos cuidados de seu filho Breno. Um padre seu conterrâneo, de nome Limeira, que estava de passagem por Rio Acima, abençoou a casa e lá se hospedou por algum tempo. Fora vigário na cidade natal do Boaventura, e ambos não resistiram à tentação de matar saudades da terrinha.

Um dia Geraldo Viramundo perguntou ao Padre:

— Padre Limeira, em que é que o padre é diferente dos outros homens, além da batina?

Esta pergunta, feita assim sem mais nem menos, desconcertou o Padre. Voltando-se vivamente, ele se dispunha mesmo a censurar aquele desrespeito, mas deu com uns olhos sérios que o fitavam, esperando a resposta, e não parecia haver neles a intenção de desrespeitar ninguém.

— Que pergunta, menino — falou então. — O padre é o representante de Deus na terra.

— Eu sei. — Geraldo Viramundo insistiu: — Mas eu quero saber a diferença entre o padre e os outros homens. Por que os outros não podem ser representantes de Deus na terra?

Padre Limeira não sabia o que dizer, nem onde o rapazinho queria chegar:

— O padre se prepara para isso — respondeu evasivamente. — Ele é tocado pela Graça.

— Tocado por quem?

— Pela Graça: pelo divino Espírito Santo. Você não estudou catecismo?

— E por que os outros homens não são tocados pelo divino Espírito Santo?

Agora o Padre já se pusera mais à vontade para explicar:

— Não são porque levam uma vida de pecados e dissolução. O padre tem o poder de Deus para perdoar estes pecados. Quando você se confessa, Deus perdoa seus pecados através do padre.

— O padre nunca peca?

— Peca também, ora essa. Mas é diferente.

— Isso é que eu perguntei: diferente em quê?

Nesse ponto o Padre percebeu que tudo ia começar de novo e perdeu a paciência:

— Por que é que você quer saber?

— Porque eu talvez resolva ser padre.

Padre Limeira esperava por tudo, menos por esta.

— Muito bem, meu rapaz. Fico satisfeito em saber. Vou lhe explicar: a diferença está em que o padre dedica-se inteiramente a Deus. Foge dos prazeres do mundo e põe-se a serviço da religião, pela prática da oração, da obediência, da vida ascética, da meditação.

Geraldo Viramundo quis saber o que era "vida ascética". O Padre explicou-lhe como pôde, e a conversa ficou nisso. Mas influenciada pela presença do Padre, a vida de Geraldo ia-se transformando inteiramente. O misticismo crescia nele com poderosas forças: começou a policiar com dureza os seus pecados, duplicou o número de orações durante a noite. E tendo entendido à sua maneira o que o Padre lhe ensinara, começou também a praticar o seu ascetismo: passou a recusar a sobremesa depois do jantar, e para que ninguém desconfiasse, metia as mãos nos bolsos e saía assobiando; todas as noites, antes de se deitar, ficava parado com os braços abertos, sem se mexer, enquanto contava baixinho, como no tempo em que mergulhava no rio, até que a dor no corpo o prostrava sobre a cama; ficava se excitando mentalmente, a pensar as maiores imoralidades, já deitado, até que o sexo lhe doía de tanto desejo, e depois, mãos atrás das costas, se recusava. Quando fracassava neste último sacrifício (o que aconteceu quase todas as vezes), martirizava o corpo no dia seguinte, intensificando ainda mais os outros. Eram de uma variedade infinita, desde o mosquito que lhe pousava na testa e que ele, embora morrendo de cócegas, se recusava a espantar, até a vitória sobre o desejo de olhar para trás quando passava a filha dos italianos do empório. Também passou a cultivar a obediência de uma maneira exagerada, a ponto de os irmãos abusarem dele. Um dia Breno, o mais velho, achou graça quando o pôs a descarregar sozinho umas sacas de arroz de um caminhão, e ao fim deu com ele estendido no chão, prostrado de cansaço:

— Arriou a trouxa, seu frouxo?

Só a meditação é que não conseguia atingir, pois, embora fosse hábito seu já de longo tempo andar sozinho, absorvido em pensamentos, não sabia propriamente em que meditar.

— Meditar em quê, Padre Limeira?

Um dia, sem pensar muito tempo, enfrentou o espanto geral da mesa de jantar, falando de repente:

— Papai, eu quero ser padre.

A presença do Padre Limeira fez o resto. Por esse tempo, além do mais, Geraldo Viramundo já não trabalhava na olaria, pois o Boaventura, que, como eu disse, também tinha começado na olaria, estava melhor de vida e achava o trabalho lá pesado demais para o filho. Assim sendo, Geraldo Viramundo não trabalhava em lugar nenhum e passava o dia inteiro dentro de casa. Tudo foi assentado com o Padre Limeira, que se dispôs a levá-lo para o seminário.

Houve choradeira dc Dona Nina, o Boaventura disfarçou uma lágrima em duas graçolas na hora da despedida e numa manhã de fevereiro Geraldo Viramundo deixou Rio Acima e tomou o trem de ferro pela primeira vez na vida (já parava lá) a caminho de Mariana.

CAPÍTULO II

Onde não se conta nada do que se passou com Geraldo
no seminário de Mariana, mas se explica como
ele saiu de lá e se tornou Viramundo.

NÃO DISPONHO de nenhum dado sobre o período da vida de Geraldo Viramundo no seminário. E isso é tanto mais lamentável, quanto se sabe que esse período foi de fundamental importância para o seu destino. Houve, mesmo, entre os estudiosos do assunto, quem aventasse ter ido ele para o Caraça — hipótese logo afastada, pois sobre não apresentar nenhum fundamento que a sustentasse, sabe-se que os egressos daquele estabelecimento de ensino apresentam em sua formação certas características (como o hábito de citações em latim) inexistentes na de Viramundo.

Um padre meu amigo, que estudou em Mariana naquela época, me diz de um rapazinho que logo no terceiro dia de aula deu uma lambida na mão do bispo em vez de beijar-lhe o anel, por ocasião da visita de Sua Eminência ao seminário. Mas é pouco provável que se trate de Geraldo Viramundo, ainda que a descrição que lhe fiz condiga com a lembrança que ele tem, por que, como vimos, o rapaz saíra de Rio Acima inteiramente diferente do que era antes. Em Mariana, onde estive para tal fim, não encontrei a menor notícia a seu respeito, senão a que se prende ao acontecimento que abalou toda a cidade e que motivou sua saída de lá.

Assim, a bem da verdade, sou obrigado a passar por cima de suas inquietudes e deslumbramentos, distrações e macerações, arroubos de misticismo e insubordinação, tentações diurnas ou noturnas, inclusive a tentação da carne, ou propriamente dita — enfim, tudo que possa ter constituído a sua grande experiência de seminarista. Sei que com isso estou me dispensando de lançar mão de todo um sugestivo vocabulário que, além de amparar-me a prosa nos meandros em que ela se mete, levada pelo meu surpreendente personagem, dar-lhe-ia também certo colorido de espiritualidade que falta à vida dele mas sobeja nas minhas intenções: Deus, missa, novena, matina, batina, oração, confissão, comunhão, incenso, turíbulo, fé, esperança, caridade, liturgia, dominga, contritamente, aleluia, devoção, episcopal, ladainha, e por aí afora — sem falar no latinório: *peccata mundi, Deo gratias, Dominus vobiscum, et cum spiritu tuo* — para limitar-me ao episódio da confissão da viúva e todas as suas lamentáveis consequências.

H AVIA EM MARIANA por essa época uma viúva, que se apresentava como a viúva Correia Lopes, não somente porque seu defunto marido assim se chamasse, mas também porque seu primeiro nome, Pietrolina, pela metátese do *ie* em *ei*, a sonorização do *t* em *d*, e a síncope do *r* (fenômenos etimológicos que seria ocioso enumerar aqui, não fora para revelar que estudei a fundo o assunto), transformou-se em Peidolina, ofensivo ao decoro da virtuosa família mineira. Diziam dessa viúva que seu marido morrera em circunstâncias bastante suspeitas e para ambos comprometedoras. Certo dia, amanhecera morto na cama, ao seu lado, e ela explicava, corando, que sua morte até que fora bem natural. Corriam uns versinhos entre a molecada:

> *Mais um marido termina*
> *Comprometido ao morrer:*
> *Meteu-se com a Peidolina,*
> *Morreu de tanto meter.*

Pois essa Dona Peidolina, que terei por bem daqui por diante chamar apenas de viúva Correia Lopes, depois da morte do marido resolvera tornar-se virtuosa e ia todos os sábados à capela do seminário se confessar com um padre chamado Padre Tibério, segundo ela o único que a compreendia. Alguns, inclusive o Padre, sustentavam que ela ficara mesmo virtuosa. Outros, que ela estava tentando seduzir o próprio Padre.

Se havia alguma razão para duvidar do comportamento da viúva, além dos versinhos que acima transcrevi (mais pelo interesse folclórico do que pela qualidade literária), não me cabe cogitar aqui, já que a vida íntima dessa senhora só interessa ao nosso relato desde o momento em que veio a cruzar com a de Geraldo Viramundo. Tal cruzamento, se me permitem a expressão, se deu na própria capela do seminário, em circunstâncias que, para melhor entendimento, serei forçado a explicar com mais vagar.

Naquele sábado Geraldo Viramundo, então com dezoito anos, saiu da aula de Teologia com os colegas, mas em vez de se dirigir ao pátio, como geralmente faziam todos na hora de folga, foi para a capela, naquele momento deserta, para meditar um pouco. Era agora um rapazinho mirrado e triste, com duas espinhas na testa, precocemente envelhecido, a mocidade e alguns dentes irremediavelmente estragados, que sabia de cor os Evangelhos e vários trechos de Santo Agostinho. Nada na sua figura faria lembrar o menino que ele fora, nem sugeria o homem que ainda viria a ser. Estava, por assim dizer, num instante de transição em que a existência parece pairar em suspenso entre dois vazios ou entre dois mistérios que se completam; atingira aos dezoito anos aquele momento de não ter mais o passado como companheiro nem de reconhecer suas visões, que o escritor Mário de Andrade atingiu aos cinquenta. Esse momento, que é exatamente daqueles capazes de decidir um destino, talvez tenha sido toda a sua vida dentro do seminário, talvez tenha sido o exato minuto em que decidiu abrir mão das distrações do pátio em favor da meditação na capela — coisa que nunca lhe ocorrera antes.

Meditou, meditou, meditou. Em que meditava Geraldo Viramundo? Meditar em quê? Eis uma pergunta que um dia o próprio Geraldo fez, e o velho Padre Limeira não soube responder. Nem eu, tampouco, o saberia. Propus-me narrar as aventuras e desventuras de Geraldo Viramundo, e suas peregrinações, valendo-me dos dados que tenho à mão e jogando-os com a mesma objetividade com que o jogador maneja os dados propriamente ditos — o que não inclui as suas meditações. Portanto, digamos genericamente que Geraldo Viramundo meditou no seu passado, nos irmãos distantes, na casinha de Rio Acima, na vida que já não tinha, na Cremilda e no Pingolinha, nos seus jogos de infância. Na verdade seus pensamentos, embora dessa ordem, deviam ser bem intensos, pois ao fim de certo tempo ele começou a chorar. E tanto chorou, sentado no banco da capela, que em breve suas lágrimas formavam uma larga poça nos ladrilhos.

Mas eis que a porta da capela se abre e entra o Padre Tibério. Para não ser apanhado em flagrante delito de choro, pois o Padre Tibério era bastante bondoso como homem, mas desgraçadamente chato como padre, Geraldo Viramundo se valeu da sombra de uma coluna para ocultar-se. O Padre, porém, não se dirigiu à sacristia, como era de se esperar, mas veio caminhando em direção ao altar-mor — e fatalmente surpreenderia o seminarista atrás da coluna se este não se refugiasse no confessionário.

Em duas faltas incorria Viramundo: a de estar chorando secretamente, pois não havia dor, nem aflição, nem sofrimento que passassem despercebidos a Padre Tibério naquele seminário; e a de estar meditando na hora de folga, o que, segundo a lógica do Padre, revelaria ter ele folgado na hora de meditar. A estas se somava agora uma terceira, bem mais grave, fosse ela descoberta — pois a gravidade das faltas, pelo menos no entendimento dos seminaristas, estava em se deixarem descobrir pelo Padre Tibério: a de ter-se escondido dentro do confessionário.

Mas Padre Tibério não o descobriu. Ajoelhou-se diante do altar-mor, fez o nome do padre e olhou para a porta, depois de consultar o relógio:

— A Peidolina hoje não veio — falou em voz alta. — Graças a Deus.

Tornou a ajoelhar-se, persignou-se outra vez e, depois de coçar-se por sobre a batina de maneira nada clerical, atravessou de novo a capela em direção à saída.

Assim que se viu só, Geraldo Viramundo pensou em sair do confessionário e da capela, para se juntar aos outros na hora de folga, que já devia estar terminando. Mas um irresistível abatimento o possuíra depois da crise de choro, dando-lhe aos membros inesperado torpor. Esticou as pernas molemente, ajeitou-se no banquinho de madeira, encostou a cabeça na parede do cubículo e cerrou os olhos.

Novamente meditou, e novamente deixarei que ele medite em paz. Apenas direi que não meditou muito tempo, porque em breve o envolvia aquela preguiça que sucede às meditações, conhecida dos santos e eremitas, e aquele sono que sucede à preguiça: Geraldo Viramundo adormeceu.

D ESPERTOU-O A VOZ DA VIÚVA Correia Lopes, sussurrada através da palhinha:

— Demorei muito hoje, Padre Tibério?

Geraldo Viramundo, sobressaltado, se endireitou no banco e pensou imediatamente em levantar-se e sair do confessionário. Mas a voz da viúva o deteve:

— O senhor foi tão bonzinho em ter me esperado...

Houve um instante de silêncio. Viramundo pensava agora nas consequências que adviriam se saísse e se a viúva contasse para o Padre. Ficou calado, à espera.

— O senhor sabe? — prosseguiu a mulher, soprando através da janelinha: — Na última vez que eu me confessei, sábado passado, não tive tempo de rezar toda a penitência antes da comunhão. Ficaram faltando duas ave-marias e dois padre-nossos, que eu rezei depois. Tem importância, Padre Tibério?

Geraldo Viramundo continuava calado, pensando em dizer claramente: Eu não sou o Padre Tibério, minha senhora. A frase se revirava na sua cabeça, ele com medo de dizê-la. O suor começava a brotar-lhe da testa. Acabou deixando escapar apenas um "não", com voz de padre em confessionário.

— Bem, então eu vou começar no ponto em que deixei no sábado passado.

E começou. Se há quem pense que vou passar agora a revelar os pecados da viúva Correia Lopes, muito se engana. Eles, por si só, bastariam para fazer com que Geraldo Viramundo de novo adormecesse, e com ele, eu e meus possíveis leitores — não fosse o que se passou em seguida.

Depois de desfiar seus intermináveis pecadinhos, a viúva Correia Lopes começou a estranhar o silêncio do Padre:

— Padre Tibério — ela chamou.

Era preciso responder alguma coisa. Geraldo Viramundo fez apenas "Ahn?", através da janelinha, e continuou calado.

— Pensei que o senhor tivesse dormido...

Viramundo fez de novo "Ahn", desta vez em tom reticente. A mulher ficou em silêncio, à espera. Como ele não dissesse mais nada, comunicou:

— É só, Padre Tibério.

Se continuasse indefinidamente resmungando "ahn" dentro do confessionário, a viúva nunca mais iria embora. E agora, que fazer? Havia o perigo de Padre Tibério voltar de uma hora para outra. Então pensou em falar apenas "está bem", mas, em se tratando de pecado, não podia estar bem, e sim estar mal, muito mal, minha filha — qualquer coisa assim. Em vez disso perguntou, numa voz bafejada, o mais clerical que lhe foi possível:

— É só?

— É só — repetiu a viúva, temerosamente, e acrescentou: — Bem, Padre Tibério, há mais, e o pior. Quero lhe pedir um conselho.

— Ahn.

— É a respeito do meu marido. O senhor sabe, eu até já tinha esquecido tudo o que se passou, não é? Mas acontece que agora ele começou a me perseguir, o senhor nem imagina. Aparece para mim e me diz coisas, entro no quarto e ele já está lá na cama me esperando. Não aguento mais. E o senhor sabe o que ele quer.

— Ahn.

— Pois é. Ele quer, quer, quer. Não há quem aguente. Me atormenta que só o senhor vendo. O pior é que... eu também quero, e um dia eu acabo não resistindo. Como é meu marido, eu pensei... O senhor acha que eu posso?

Geraldo Viramundo já se esquecera das precauções e se interessava vivamente pelo que lhe contava a viúva:

— Pode o que, minha senhora?

A viúva levou um susto ante a pergunta, estranhando a voz diferente do Padre. Mas ainda assim prosseguiu:

— O senhor sabe, Padre! Ele quer dormir comigo...

— Ele quem?

— O meu marido!

— O seu marido já não morreu?

A essa altura a viúva Correia Lopes se convenceu de que definitivamente alguma coisa de errada se passava naquele dia com o Padre Tibério (o único que a compreendia), como já vinha desconfiando desde o princípio.

— Padre Tibério, o senhor hoje está muito esquisito.

Geraldo Viramundo ficara indignado:

— Estou esquisito, primeiro, porque não sou o Padre Tibério. Segundo, porque acho esquisito é a senhora...

— Hein? O quê? Não é o Padre Tibério?

— ...vir me dizer sem mais nem menos que o seu marido, até depois de morto, ainda queira fornicar com a senhora. Pois não foi disso que ele morreu? Terceiro, porque se a senhora também quer...

— Quem é o senhor? Quem é o senhor?

— Sou um seminarista. Se a senhora também quer, então isso quer dizer que...

A viúva dava gritinhos:

— Um seminarista? Então eu me confessei com um seminarista? E o Padre Tibério? O que é que o senhor está fazendo aí dentro?

Geraldo Viramundo prosseguia, imperturbável:

— ...quer dizer, de duas, uma: ou o seu marido não morreu, e a senhora então não tem nada que estranhar ele querer, ou ele morreu mesmo e — que a paz do Senhor seja com ele! — a senhora está querendo fornicar com alguém mais. Os mortos não fornicam, Dona Peidolina.

— Peidolina é sua mãe!

— Perdão, minha senhora, não tive intuito de ofendê-la. Mas nada de confusões: a senhora não pode enganar o seu marido dormindo com ele próprio — e evidentemente é a isso que a senhora quer chegar. Mas essa história está muito mal contada. Por que a senhora não conta para o Padre Tibério a coisa como ela é, sem essas sutilezas? São Paulo disse para as viúvas: "Todavia, se não têm continência, casem-se." Epístola aos Coríntios, número sete, versículo nove. Por que a senhora não torna a se casar?

41

Nesse momento a viúva, já histérica, gritava a plenos pulmões e xingava nomes de fazer corar um frade de pedra. Como Geraldo Viramundo não fosse frade e muito menos de pedra, mas seminarista, e de carne e osso, pouco se importou com a gritaria da viúva e já ia saindo calmamente do confessionário, quando chegou o Padre Tibério, todo afobado:

— Que foi que houve? Que aconteceu?

No dia seguinte Geraldo Viramundo era expulso do seminário.

O INCIDENTE NÃO terminou aí. Não se sabe como, a história da confissão da viúva Correia Lopes se espalhou imediatamente por toda a cidade, nos menores detalhes (o marido que até depois de morto ainda queria, e tudo mais), e em breve foi ganhando de boca para boca proporções fantásticas, em novos detalhes que lhe acrescentavam. Diziam que o defunto aparecia mesmo para ela durante a noite, alguns até já o tinham visto entrar furtivamente a horas mortas pelo portão dos fundos. Outros diziam que a viúva tinha parte com o diabo. Outros diziam que o fantasma do marido lhe vigiava a casa, para fazer recair sua maldição sobre todo aquele que se aventurasse a cobiçar sua esposa. A esta hipótese, os homens da cidade se persignavam, atemorizados. Outros diziam que ele em vida sempre fora insaciável — pois não morrera disso? — e que para ele não havia mulher que chegasse. Ao que as mulheres da cidade intimamente confirmavam.

Devido à onda cada vez mais forte de comentários, alguns desairosos para com as tradições de virtude do lugar, o Prefeito, que fora amigo pessoal do morto, fez circular uma portaria proibindo genericamente quaisquer comentários sobre a vida íntima das viúvas e dos defuntos e recomendando àqueles que frequentavam a capela do seminário que antes verificassem bem com quem estavam se confessando, para que a falta de cuidado e discrição não desse margem futuramente a outros incidentes como aquele, tão comprometedores para com as honrosas (escreveu honrosas sem h) tradições de seu município.

Ah, para quê! O Padre Tibério sentiu-se atingido e tomou as dores dos fiéis, ou, mais propriamente, da viúva, a ponto de os infiéis engrossarem o que já se dizia também dele com ela. No primeiro domingo que se seguiu, veio a público, ou a púlpito, para descompor o Prefeito, dizendo que os fiéis se confessavam como, onde e com quem bem entendessem, e acrescentando que a dita portaria não tinha por fim senão prevenir a divulgação de pecados das viúvas que por acaso o envolvessem, a ele, Prefeito, que haveria por melhor não comprometer a autonomia, garantida por lei, entre o poder temporal e o poder espiritual.

Os amigos do falecido Correia Lopes, a essa altura dos acontecimentos, resolveram que tudo aquilo era uma afronta à memória do homem, que na paz de seu túmulo não tinha mais nada a ver com os pecados da viúva, e assim sendo, organizaram naquela mesma tarde, como desagravo, uma romaria ao cemitério, com flores, discursos e tudo mais.

Ora, aconteceu que Geraldo Viramundo, expulso do seminário, sem a batina e sem aonde ir, tinha escolhido justamente o cemitério para passar suas noites, pensando muito sensatamente que, se aparecesse na cidade, sua presença poderia criar novos incidentes e mal-entendidos. Sabia que a princípio o procuravam para castigá-lo, que toda a cidade se erguera contra ele, e teria morrido de fome se não fosse um rapazinho seu conhecido (também expulso do seminário), o Alphonsinho, empregado da Padaria Papi, e poeta como o nome indica, lhe trazer diariamente uns pães às escondidas. No seminário o supunham em Rio Acima, para onde recebera ordem terminante de embarcar. Burlara a vigilância do irmão que fora levá-lo à estação, porque não queria partir sem um último adeus ao túmulo do poeta Alphonsus de Guimaraens, seu único amigo em Mariana, cujos versos sabia de cor. E acabara ficando por lá.

Já escurecia naquele domingo, quando Viramundo, descansando numa sepultura vazia que a erva cobrira e que havia escolhido para seu abrigo, viu a multidão invadir o cemitério, em direção ao túmulo do falecido Correia Lopes. Pensou que o procuravam. Esperou que chegassem bem perto, e quando já estavam ao alcance de sua voz, levantou-se na sepultura, gritando para eles, revoltado:

— Por que me perseguem, escribas e fariseus hipócritas? Sepulcros caiados de branco! Por que não me deixam em paz?

Ao verem aquele vulto sair da cova e, emoldurado pela lua imensa como um balão de papel que já surgia no horizonte, a agitar os braços para eles, dizendo aquelas palavras, os homens estacaram, paralisados de terror. Um segundo depois se punham em debandada, tropeçando em túmulos, pisando em sepulturas, aos atropelos, fugindo todos em direção ao portão do cemitério, como se mil almas penadas os perseguissem:

— É ele!

— É o marido da Peidolina!

— Ele vai se vingar!

Já distantes, se reagrupavam, apavorados, entreolhando-se em grande confusão. Alguns afirmavam ter visto o próprio demônio, com os braços para cima, olhos em fogo, a gritar que se afastassem, fossem embora.

Viramundo os havia seguido, sem saber por que fugiam, e ninguém tinha dado por ele, ninguém o tinha visto. Alguns se detiveram no botequim para virar uma cachaça, e contavam para os que lá estavam, em largos gestos, com os olhos esbugalhados, o que havia se passado no cemitério. Em seguida saíam, e a multidão na rua ia se engrossando.

— Que é que vocês vão fazer? Para onde vocês vão?

— Para a casa da viúva.

As mulheres deixavam as suas portas e, munidas de panelas, achas de lenha e porretes, se juntavam a eles. Os moleques, antevendo o divertimento, recolhiam pedras pelo caminho e gritavam, se empurrando, para fazer movimento. Os homens marchavam, decididos, secundados pelas mulheres:

— Aquela ordinária há de ver.

— Sem-vergonha! É preciso que o marido se levante no túmulo para pedir paz, e nem assim ela toma jeito.

— Fora com ela!

— O coitado há de ser vingado.

Alguns iam contando de passagem o que tinham visto no cemitério e os que não tinham visto também contavam, em palavras disparatadas, aumentando a confusão. Viramundo seguia entre eles, impressentido, sem entender direito o que se passava. Alguém surgiu correndo a sobraçar uns foguetes, que vinham sendo guardados para algum futuro comício político:

— É hoje, pessoal! É hoje!

Uns estavam contentes como em dia de festa, entusiasmados e felizes por ver quebrada a pasmaceira em que vivia a cidade. Outros caminhavam enraivecidos, dispostos a tudo. Os que seguiam na frente iam anunciando de passagem, num rumor que descia pela rua como uma enchente:

— Vão acabar com a viúva. Vão acabar com a viúva.

O Prefeito, que jogava bisca na sala de visitas de sua casa, ao ver o povo passar em frente à sua janela, saiu para a rua, seguido dos parceiros, ainda com as cartas na mão:

— Que aconteceu? Vocês estão loucos?

Um cidadão chamado Serafim, que tinha velha diferença com a prefeitura por causa de uma questão de demarcação de terras, aproveitou-se da confusão para dar um empurrão no Prefeito:

— Fora do caminho, gostosão.

Os que vinham atrás secundaram, mais respeitosos.

— Fora, seu doutor; isso não é serviço pro senhor não.

O Prefeito saiu a correr, à procura do delegado.

EM FRENTE À CASA da viúva a multidão se aglomerava, irrompendo em vaias e gritarias. Foguetes espocavam, pedras cruzavam o ar, indo bater nas vidraças, que se partiam com estardalhaço, retinindo:

— Fora com a Peidolina!

— Fora com ela!

Ao fim de algum tempo uma das janelas se abriu, e, para surpresa geral, quem apareceu foi o próprio delegado, braços estendidos pedindo calma:

— Mas que desordem é essa? Que significa isso? Então nesta cidade não existe mais respeito nem decência? Com que direito tratam assim a uma pobre senhora que não fez mal nenhum? Se alguém tem de decidir aqui quem é culpado ou não, este alguém sou eu e mais ninguém. Eu represento a lei, e a lei tem de ser respeitada!

Aos poucos a multidão se calara, esperando que o delegado estivesse partindo para um discurso. Mas as palavras lhe faltavam e ele parecia em grande confusão. Alguém se aproveitou para gritar, valendo-se do anonimato:

— E o senhor? Que é que o senhor estava fazendo aí dentro com ela?

As gargalhadas estouraram, enquanto o delegado estendia de novo os braços, pedindo calma. Mas alguém abriu caminho entre a multidão, a gritar:

— É isso mesmo! Que é que você está fazendo aí com aquela sem-vergonha? Assim que você foi jogar na casa do prefeito, seu safado?

Era a mulher do delegado. À vista dela, o homem houve por bem sumir incontinenti da janela. Alguns instantes mais tarde ganhava a outra rua pela porta dos fundos, e ninguém ficou sabendo como foi que ele chegou em casa naquela noite, se é que ousou chegar.

Por um momento a janela permaneceu vazia, e a gritaria recomeçou, ensurdecedora. Os foguetes tornaram a estourar. De um segundo para outro, contudo, se fez um silêncio completo: a viúva acabava de surgir à janela e os contemplava, sem uma palavra.

Sua aparição foi tão surpreendente que de repente ninguém sabia o que falar. Mas um dos homens, chamado Seu Genésio, dos Correios e Telégrafos, e que parecia ser quem comandava a turba, gritou para ela:

— Se você quer dormir com seu marido, ele está lá no cemitério esperando!

Tanto bastou para recomeçar a assuada. Mas a viúva ergueu o braço, expondo-se ainda mais na janela e arriscando-se a levar uma pedrada de uma hora para outra. Todos agora pediam silêncio para ouvir o que ela tinha a dizer.

— Quero sim, Genésio — falou ela, com voz pausada. — Prefiro dormir com um defunto a dormir de novo com você.

A mulher de Seu Genésio, que era uma das mais exaltadas, e que ao lado dele ameaçava a viúva com os punhos cerrados, voltou-se para o marido aos pescoções, para tirar aquilo a limpo imediatamente.

— Esta mulher está louca! — defendia-se ele, tentando proteger-se com os braços em meio às gargalhadas dos demais.

— Vinha fazer plantão na minha casa! — gritou a viúva, agora dirigindo-se diretamente à mulher dele. — E os Correios que se danem!

— Juro que isso é invencionice dela! Essa vaca há de me pagar! Posso explicar tudo!

Mas a mulher não queria saber de explicações e o empurrava, aos berros:

— Eu bem que desconfiava disso! Eu bem que desconfiava!

A confusão chegara ao máximo e agora eram as mulheres que gritavam:

— Fora com ela! Fora com a Peidolina! Fora! Fora!

— E você também, Serafim! — continuava a viúva, lá da janela, como se nada daquilo fosse com ela. — Quem é que falava que eu tinha os peitinhos atrevidos, quem? Fala agora, se você é homem! E o senhor também, Seu Campelo! Não precisa fazer essa cara feia não, que eu sei bem o que o senhor quer! Se sua mulher não deixa, eu é que vou deixar? E você aí, Nonô, que tem uma coisinha de nada, uma coisinha deste tamanho? E você, Petronilho? E o Doutor *Carlinhos*? (Carlinhos era, na intimidade, o próprio Prefeito.) E você, Simão? Seu Jorge? Marcelino? Vidigal?

A viúva Correia Lopes havia dormido com a cidade inteira.

O Padre Tibério tentou abrir caminho para intervir, mas foi engolido pela multidão. A exaltação de ânimos era completa e ninguém se entendia mais. Enfurecidos, alguns tentavam agarrar a viúva, estendendo freneticamente os braços, agrupados sob a janela baixa. Pedras voltaram a surgir de todos os lados e só por um milagre nenhuma alcançara ainda a mulher. Alguém atirou uma panela de ferro que arrebentou violentamente a outra janela, com caixilhos e tudo. Cacos de vidro feriram vários na multidão e a panela foi atingir a cabeça do Nonô, o que tinha uma coisinha de nada.

Depois de fazer publicamente a confissão de seus pecados, a viúva se entregara a uma desesperada crise de choro, debruçada na janela, contorcendo-se como num ataque histérico. Um dos homens conseguiu num salto puxá-la pelos cabelos, e por pouco ela não vem abaixo, arrancada para fora da janela de cabeça. Conto tudo isto com pormenores porque aquele a quem interessa o nosso relato, Geraldo Viramundo, estava, como já disse, em meio ao povo, a tudo assistindo sem que dessem por ele. Naquele justo momento, isto é, quando o homem começou a puxar os cabelos da viúva, ele conseguiu intervir diretamente, o que não fizera antes por impossibilidade de abrir caminho e chegar ao pé da janela. Estando finalmente ali, deu um violento coice na canela do homem, obrigando-o a largar os cabelos da viúva com um grito de dor. A multidão se movimentava, fremente como uma onda humana. Aqui e ali se generalizavam as primeiras brigas, originadas pelas mulheres, que haviam resolvido esclarecer imediatamente com os respectivos maridos as comprometedoras revelações da viúva. Gritos de mata! mata! saltavam já de todos os lados, e se havia um momento propício para matar alguém, esse momento tinha chegado.

Sem perda de tempo, Viramundo galgou agilmente a janela, antes que o homem a quem havia chutado pudesse revidar, e postou-se ao lado da viúva. A pobre mulher, caída de bruços sobre o parapeito, tinha o rosto escondido nas mãos e parecia desmaiada. Viramundo ergueu os dois braços e começou a gritar, pedindo silêncio. Ao vê-lo, a multidão acabou reconhecendo-o e ganhou fôlego novo:

— É ele! Pega! Pega! É o seminarista!

Viramundo ficou de pé no parapeito da janela para que não o alcançassem, e mal se equilibrando, desandou a berrar, furibundo, ainda que não o escutassem:

— Matem, matem logo! Mas me matem a mim primeiro! Ninguém encosta a mão num fio de cabelo dessa mulher sem passar por cima do meu cadáver! Jesus disse para os fariseus: "Aquele que dentre vós está sem pecado, seja o primeiro que lhe atire uma pedra." São João, capítulo oito, versículo sete. Pois atirem a primeira pedra!

Aquele a quem ele havia chutado na perna minutos antes, que tocara não só num fio de cabelo da mulher mas em todos eles, tomou distância em meio aos outros, gritando:

— Pois lá vai ela!

E atirou uma certeira pedrada, que foi atingir em cheio a testa de Geraldo Viramundo. Perdendo o equilíbrio, ele tombou ao chão, na rua, sem sentidos. Ainda assim o moeram de pancadas e pisadelas. E teriam literalmente passado por cima do seu cadáver, se naquele momento o destacamento policial que o delegado acabara providenciando não tivesse chegado, botando a multidão em debandada a golpes de sabre. Depois os soldados da polícia deram com Viramundo ainda no chão, todo machucado e acabando de voltar a si. Reconheceram-no como o responsável pelos acontecimentos que abalaram a vida daquela até então pacata cidade, e resolveram por conta própria jogá-lo fora dela.

Assim, carregaram-no até a entrada da cidade e o atiraram na poeira, dizendo, enquanto esfregavam as mãos:

— Vá baixar noutra freguesia!

Geraldo Viramundo ergueu-se, sacudiu a poeira da roupa e gritou de longe para os soldados:

— Deus vos livre da iniquidade, prebostes!

Voltou-lhes as costas, começando a palmilhar a longa estrada noite adentro, sob a claridade da lua e das estrelas. E foi assim que, aos dezoito anos, Geraldo se tornou Viramundo.

CAPÍTULO III

*Da controvérsia existente em torno do nome
de Geraldo Viramundo, e da sua longa viagem de Mariana a
Ouro Preto, onde conheceu aquela que viria
a ser a sua amada a vida inteira.*

NESTE PONTO, terei de interromper por instantes o fio da narrativa, para reportar-me à afirmação no fim do capítulo anterior, ou seja, a de que Geraldo se tornou Viramundo ao iniciar a sua primeira caminhada pelas estradas da província de Minas Gerais.

A basear-se no sentido etimológico deste epíteto, a afirmação é correta, desde que ele deriva da aglutinação de um verbo, virar, e um substantivo, mundo. Ora, como esta aglutinação veio lexicologicamente a designar o pesado grilhão que se prendia à perna dos escravos é que não cabe a mim explicar e sim aos gramáticos e outros viramundos da linguagem. Cabe-me, sim, interpretar o significado que a acepção sugere, e, pelo menos no meu fraco entender, virar o mundo só pode querer dizer largar-se por suas estradas, entregar-se ao destino errante de percorrê-lo, e nesse sentido, Geraldo se tornou mesmo Viramundo no momento em que saiu de Mariana, ainda que o mundo que ele percorreu tenha sido apenas o de Minas Gerais. Todos nós somos um pouco viramundos, ou pelo menos trazemos no íntimo uma irrealizada vocação de peregrinos, mas o que nos faz largar um pouso é a procura de outro pouso. Disfarçamos com pretextos soezes a nossa viramunda destinação de nômades a deambular por este mundo de Deus, e nos tornamos viajantes, bandeirantes, itinerantes, emigrantes, visitantes, passantes, infantes, militantes ou tratantes. Grandes viramundos são os ciganos, os marinheiros mercantes e os cachorros, também chamados vira-latas.

Para corroborar a minha assertiva, e justificando a coragem de usar semelhante palavra, aí está o fato de não existir nenhuma evidência de que Geraldo já fosse designado Viramundo antes de deixar Mariana, embora por uma questão de mera conveniência literária (aquilo que os latinos denominavam *adequatio locutione*), eu o venha tratando desde a sua infância como tal. No entanto, já que a dita afirmação, lançada ao fim do capítulo anterior, pode vir a suscitar velha celeuma havida em minha terra com respeito às origens desse nome, sobre as quais surgiram explicações as mais estapafúrdias, calo-me quanto a estas explicações, para não comprometer seus autores, e me limito a transcrever abaixo alguns dos nomes pelos quais Viramundo foi designado durante a sua vida, cada um deles tendo quem o defenda como autêntico:

Geraldo Viramundo
Geraldo Giramundo
Geraldo Rolamundo
Geraldo Vira-Lata

Geraldo Acaba-Mundo
Geraldo Furibundo
Geraldo Virabosta
Geraldo Virabola
Geraldo Sacristia
Geraldo Epístola
Geraldo Sitibundo
Geraldo Vila Rica
Geraldo Facada
Geraldo Pancada
Geraldo Boi
Geraldo Carneiro
Geraldo Capelinha
Geraldo Uai
Geraldo Pitimba
Geraldo, o Cagado de Arara
Geraldo Passa Quatro
Geraldo Nerval
Geraldo Pecaldo
Geraldo Ziraldo
Geraldo Sacrilégio
Geraldo Responsus (Pobre Alphonsus)
Geraldo Ingrizia
Geraldo Já Começa
Geraldo Merdakovski, General Búlgaro
Geraldo Molambo
Geraldo Melda
Geraldo Ladainha
Geraldo Capítulo

Geraldo Trindade
Geraldo Sepultura
Geraldo Eucaristia
João Geraldo, o Peregrino
Geraldo Cordeiro de Deus
Geraldo J. Nunes
Geraldo Labirinto
Geraldo Caramujo
Geraldo Pé na Cova
Geraldo Cuba
Geraldo Jacuba
Geraldo Caraminhola
Geraldo Ceca
Geraldo Meca
Geraldo Ceca em Meca
Geraldo Eira
Geraldo Beira
Geraldo sem Eira nem Beira
Geraldo Tremebundo
e José Geraldo Peres da Nóbrega e Silva.

Além desses, centenas de outros apelidos, epítetos, alcunhas, cognomes, apodos e aliases acompanharam Viramundo nas suas andanças, variando de época para época e de lugar para lugar. Tanto assim que em cada cidade de Minas ele é conhecido sob denominação distinta — o que dificultou enormemente as minhas pesquisas, no afã de descobrir em cada localidade traços da passagem do grande mentecapto, ao longo de sua atribulada existência. Como se pode depreender da pequena lista acima apresentada, o único ponto sobre o qual todos estão acordes é que o seu primeiro nome jamais deixou de ser Geraldo. Algumas dessas alcunhas se referem obviamente à sua formação religiosa, que lhe marcou para sempre o juízo, ou acabou de tirá-lo de todo. Outras são absolutamente arbitrárias, como Geraldo J. Nunes. Outras têm uma específica razão de ser, como Merdakovski, General Búlgaro, ou José Geraldo Peres da Nóbrega e Silva — conforme mais tarde, no decorrer de nossa narrativa, se poderá verificar.

Resolvida que seja, pois, para simplificação de nosso trabalho, a heteronímia acima referida na denominação genérica de Viramundo, já que não pretendo mais voltar a tão tedioso assunto, deixo bem claro que me eximo de qualquer responsabilidade em relação aos equívocos que a divergência em questão possa ainda suscitar. E voltemos ao nosso relato.

S ABIDO É QUE A PRIMEIRA notícia existente sobre Geraldo Viramundo se refere à sua estada na cidade de Ouro Preto, já com 28 anos, isto é, dez anos depois de ter deixado Mariana. Ora, por mais longa que seja a estrada que liga as duas cidades, não há possibilidade de alguém levar dez anos para percorrê-la, a menos que adote o sistema que se tornou efetivo na administração pública de minha terra por tantos anos: um passo para a frente e dois para trás. Há quem diga que Viramundo passou esses anos às margens e ao longo da própria estrada, sempre desejoso de partir, nunca desejoso de chegar, vivendo como um anacoreta, de raízes, frutos silvestres, eventualmente de esmolas, vestindo peles de animais e afastado do convívio dos homens. Mas é uma hipótese meramente romântica, aventada pelos que tentam fazer de Viramundo apenas um místico, um vagabundo, ou ambas as coisas. *It is ludicrous* — para usar a língua de Shakespeare, tão cara aos nossos filomenos montanheses. Na realidade, quem fosse viver na minha terra de frutos silvestres e vestir-se de peles de animais andaria nu e morreria de fome. Quanto à alternativa das esmolas, esta se destrói ante a rigorosa tradição mineira de não propiciá-las senão na forma de promissórias devidamente avalizadas. E havia ainda a reconhecida relutância de Viramundo em angariá-las.

Resta-nos apenas o testemunho de um eminente historiador da época, conhecido pelo nome de Afonso, o Sobrinho, que o distingue não só do tio mas de quantos Afonsos perlustraram as letras mineiras, pois de Afonsos e Alphonsus, pais, filhos, tios, sobrinhos, netos e bisnetos, a minha terra está cheia. O livro de sua autoria, *Roteiro Lírico de Ouro Preto*, obra de grande saber e erudição, nos dá notícia de alguém que andou pela antiga Vila Rica com o autor, na mesma época em que Viramundo deveria ter baixado naquela freguesia, conforme recomendação expressa dos soldados de Mariana. Embora não lhe diga o nome, conservando-o no anonimato, que é a virtude de que Minas mais se orgulha, a descrição do tipo corresponde à de nosso personagem. Deixo, todavia, de abeberar-me nesta fonte, devido ao fato de o consagrado historiador referir-se a ele como *o poeta*, o que gerou no espírito dos estudiosos a mais lamentável das confusões: passaram erroneamente a considerar o dito poeta como sendo Emílio Moura, bardo de lírica inspiração, talvez irmão espiritual de Viramundo, mas que na época não foi para Ouro Preto, e sim para Dores do Indaiá. Há quem sustente, com mais fundamento, que o poeta em questão não seria outro senão o grande memorialista Pedro Nava, com quem Viramundo sem dúvida tinha mais de um ponto em comum.

Que fiquem para trás todos esses pontos controversos, pois deverão estar esgotando já a paciência do leitor, como aliás esgotaram a minha própria. E não faço qualquer referência aos anos de interregno na vida de Viramundo entre Mariana e Ouro Preto, para reencontrá-lo já nesta última cidade.

Reencontro-o em péssimas condições. Paletó esmolambado, calças de brim ordinário pescando siri, perambulava pelas ruas, alimentando-se só Deus sabe como e dormindo só Deus sabe onde. Foi então que lhe sucedeu encontrar aquela que viria a ser a sua amada a vida inteira.

Antes, porém, terei de falar no seu convívio com os estudantes.

TUDO COMEÇOU NO DIA em que Viramundo passava pela Rua Direita e, ao dar uma cuspidela, acertou no sapato de Dionísio, um estudante de engenharia que estava sentado na cadeira do engraxate Vidal. Vidal, ao ver o cuspe esparramar-se no couro que estava engraxando, no justo momento em que se preparava para fazer cantar o pano em alegres esfregadelas, não teve dúvidas: levantou-se do banquinho, correu atrás de Viramundo e sentou-lhe o pé na bunda com tal violência que deu com o coitado no chão, depois de fazê-lo sair catando cavaco nas históricas pedras da rua. Calmamente voltou o negro Vidal para o seu mister, fechando a cara para o estudante que, embora dono do sapato cuspido, ria-se a mais não poder do incidente.

O que valeu a Vidal a prodigiosa descoberta. Tão logo esfregou a ponta do sapato, o engraxate verificou que este brilhava muito mais que o outro pé, que já levara graxa. Disfarçadamente experimentou então uma cuspidinha no outro e passou o pano para ver se dava brilho. Não obteve nenhum resultado.

— O do Viramundo é que é dos bons! — exclamou, maravilhado, já pensando em comercializar o cuspe do mentecapto.

E voltando-se para ele que, mal refeito do chute e da queda, recuperava-se sentado no meio-fio, pediu-lhe que se aproximasse:

— Dá uma cuspida aqui no outro pé.

Viramundo veio se chegando, desconfiado:

— Para você me acertar no outro gomo?

— É só para ver uma coisa — insistiu o engraxate. — Você cuspiu, eu lustrei, e o sapato ficou que é uma beleza.

— Beleuza não: beleza — corrigiu Viramundo.

— Quem é que falou beleuza? Não precisa consertar que eu falei direito.

— Dereito não: direito — corrigiu Viramundo.

— Quem é que falou dereito? — enfureceu-se o engraxate. — Eu falei dereito? Você é que falou dereito, sua besta.

— E você falou errado, sua vaca.

— Ah, seu fedaputa, vem bancar o engraçado...

— Engraxado não: engraçado — corrigiu Viramundo pela última vez, já pronto para fugir.

— ...que eu te ensino a ir corrigir sua mãe!

E já se dispunha a ensiná-lo a corrigir a pobre da Dona Nina, que naquele momento, alheia a tudo lá em Rio Acima, nunca mais tivera notícia do filho desde que ele deixara o Seminário de Mariana. O estudante Dionísio, que achava graça na história, interveio:

— Deixa ele cuspir no outro sapato para a gente ver.

O engraxate se conteve e ordenou:

— Vamos, cospe logo.

Viramundo, estimulado, pigarreou, limpou a garganta, encheu a boca e cuspiu com vontade em direção à ponta do sapato indicado. Mas, estando meio de lado, calculou mal a distância e, errando a pontaria, acertou em cheio na cara do negro. Este, perdendo a cabeça, derrubou-o com um pescoção, cobriu-o de pontapés e, não satisfeito, atirou-se sobre ele, pôs--se a escovar-lhe violentamente o rosto com a escova que brandia numa das mãos:

— Aprende, seu cachorro, pra tomar brilho nessa cara de merda.

E lustrava o rosto já vermelho do outro para lá e para cá. Em vão Viramundo estrebuchava e espadanava as pernas no ar. Vendo que não conseguia escapulir, pôs a boca no mundo:

— Socorro! Acudam! Aqui del rei!

— Não grita não que eu te entupo — ameaçou o engraxate.

— Aqui del rei! Aqui del rei! — berrava Viramundo.

O engraxate apanhou na sarjeta uma laranja chupada e suja, cheia de formigas, e aproveitando o grito, enfiou-a pela boca de Viramundo adentro, comprimindo-a com a palma da mão. E o pobre acabaria entupido mesmo, se o estudante não viesse em seu socorro, a custo arrancando de cima dele o engraxate Vidal. Viramundo pôs-se de pé, retirou a laranja da boca, e cuspindo terra e formigas, o rosto em brasa das lustradas que recebera, vociferou:

— Nao me intimidas, pardavasco! Ouviste o que foi dito aos antigos: olho por olho, dente por dente! Pois eu te digo que se alguém te ferir na tua face direita, apresenta-lhe também a outra. São Mateus, capítulo quinto, versículo 39. Aqui está a outra, sandeu!

E oferecia ostensivamente a face ao engraxate. Este não se fez de rogado e mandou-lhe tremendo bofetão, que o fez rolar novamente por terra.

— Não faça isso! — interveio o estudante Dionísio, contendo o engraxate. — Olha como ele já está machucado.

Em verdade o sangue escorria de um corte na cabeça de Viramundo. Dionísio levou-o a uma farmácia, onde lhe fizeram um curativo de emergência.

— Onde é que você mora? — perguntou.

— Ainda não fixei residência.

— Pois então venha comigo. Moro numa república.

— Muito obrigado. Sou monarquista, mas respeito os regimes legalmente constituídos.

— Você tem algum dinheiro? — insistiu o estudante.

— No momento estou desprevenido. Lamento não poder atendê-lo.

E acrescentou, metendo a mão no bolso:

— Ou por outra: se não me falha a memória, disponho desta moeda, que achei ali na rua. Cuja, aliás, vou dá-la de esmola. A César o que é de César, a Deus o que é de Deus.

E Viramundo deixou cair a moeda que retirara do bolso na mão esquálida de uma velha mendiga que naquele exato momento passava por eles, subindo a ladeira. Depois pôs-se a remexer nos bolsos e foi retirando deles um rolo de barbante, uma escova de dentes, um terço arrebentado, um toco de lápis, um pedaço de pão seco, vários recortes de jornais meio esfrangalhados, um lenço vermelho e uma caderneta de notas velha e ensebada.

— É tudo que você tem? — perguntou o estudante.

— É o meu cabedal.

— Como assim?

— Escovo os dentes nesta escova, assoo o nariz neste lenço, rezo neste terço, como deste pão, leio estes recortes e tomo notas nesta caderneta.

Um dos recortes era um poema com o título "As noivas de Jayme Ovalle"; outro era um tópico sobre as atividades do arcebispo de Mariana; outro eram comentários feitos à margem da obra poética de Tomás Gonzaga.

— E a caderneta: posso vê-la?

— Lamento muito, mas são assuntos particulares.

— E o barbante, para que serve?

Viramundo olhou-o, admirado:

— Então você não sabe para que serve um barbante?

O estudante tomou-o pelo braço:

— Vamos até lá em casa — insistiu. — Tenho alguma roupa que já está apertada para mim, pode ser que sirva para você.

— Muito agradecido, mas não compro roupa usada.

— Não é para comprar, é de presente! — retrucou Dionísio, surpreendido.

— Prefiro ficar com a minha mesmo.

— A sua não está mais do que usada?

— Mas por mim mesmo.

O estudante coçava a cabeça, desconcertado:

— Pois então vamos até lá para você comer alguma coisa.

— Obrigado, estou sem apetite. Anteontem jantei muito bem, num restaurante, aliás às expensas de um cavalheiro que se achava lá.

E despedindo-se, Viramundo seguiu impávido pela rua, a cabeça enrolada em ataduras.

D ESSE ENCONTRO NASCEU o convívio do grande mentecapto com os estudantes. Uma noite Dionísio logrou arrastá-lo até a república, sob o pretexto de abrigá-lo, pois chovia e ele não tinha onde dormir. Na verdade, pensava era em divertir com ele os colegas na manhã seguinte. Ajeitou-o num sofá de palhinha furada a um canto da sala, mas alta noite Viramundo foi acordá-lo para se despedir:

— Vou-me embora. Lamento muito, mas o canapé não me comporta.

Quando via, porém, uma roda de estudantes num bar ou restaurante, entrava, fazia uma ligeira refeição e em seguida dirigia-se polidamente a eles:

— Chamo a atenção de vocês para uma pequena consumação que acabo de fazer ali naquela mesa. Solicito-lhes o obséquio de pagá-la, pois vocês dispõem de numerário para tal, o que não acontece comigo.

E com uma reverência, afastava-se. Em geral a consumação era realmente pequena, não passava de uma média com pão. De bom grado os estudantes o atendiam, quase sempre depois de algum remoque pitoresco ou um incidente de menor monta que outrossim não merece narrado

Assim, tornou-se Viramundo figura popular entre os estudantes de Outro Preto e quiçá entre os demais habitantes do lugar. Mas tal popularidade foi um dia posta à prova numa série de acontecimentos cuja importância obriga-me a que a eles me reporte de maneira mais minudente.

Por esta época Sua Excelência, o Governador Geral Clarimundo Ladisbão, senhor absoluto da Província e que corria seus domínios seguido de grande comitiva, veio dar a Ouro Preto, o que foi ensejo de grandes festejos públicos, com graves prejuízos para os cofres municipais. Várias obras que se arrastavam pelos anos afora foram rapidamente ultimadas para que o Senhor Governador as inaugurasse; apressou-se a formatura dos estudantes para que o Senhor Governador a paraninfasse e o Prefeito chegou mesmo a sugerir que se realizassem logo as célebres festividades da Semana Santa para que o Senhor Governador delas participasse — o que infelizmente não foi possível, dada a peremptória recusa da Cúria local.

Ora, acompanhava o Governador Ladisbão sua filha Marília, gentil senhorita de ricas prendas e bela de porte, esbelta de maneiras, moça de fino trato e esmerada educação. E Viramundo, ao vê-la pela primeira vez, devido a um lamentável equívoco, viu nela o ente escolhido de seu coração.

Foi o caso que Viramundo ia seguido por um princípio de estrada certa tarde, a caminho do barracão do velho Elias, um cego com quem travara amizade no adro de uma igreja e a quem regularmente visitava, quando surgiu atrás dele um grande cortejo de carros: era o Prefeito que levava o Governador Ladisbão a inaugurar a ponte Governador Ladisbão, construída no distrito Governador Ladisbão. Distraído, Viramundo não ouviu a insistente buzina do automóvel a poucos metros pedindo passagem. Não fora o chofer, enraivecido, ter botado a cabeça para fora e gritado "saia da frente, imbecil!", eu estaria fadado a colocar neste instante o ponto final no relato de suas aventuras, desventuras e peregrinações. Assustado com o grito, Viramundo deu um salto para o lado, não sem que o paralama dianteiro do automóvel o atingisse, atirando-o à distância: o grande mentecapto deu duas voltas no ar e focinhou de cheio na poeira. O carro deteve-se pouco adiante e foi então que ele, ainda aturdido com o choque, ouviu a bela Marília exclamar para o chofer:

— Você quase matou o vagabundo!

Antes nunca o tivera ouvido: ouviu mal, pois entendeu que ela dissera "Você quase matou o Viramundo". E seu coração se encheu de gratidão, ao sentir que pela primeira vez alguém reconhecia que ele, embora sendo o Viramundo, não era qualquer pessoa que se atropela e mata pelas estradas apenas porque o senhor Governador está com pressa. Levantou-se como pôde, cambaleante, sacudiu a poeira da roupa e por pouco não foi apanhado novamente:

— Sai do caminho, Virabosta!

Era o motorista do Prefeito, cujo carro passava atrás do outro e seguido dos demais, levantando poeira. Sem ver nada, Viramundo dava ao rápido olhar que a donzela lhe havia dirigido a expressão mais pura de um sentimento que mortal algum jamais lhe dedicara. Mera compaixão — era o que tal sentimento, se acaso existiu no olhar fugaz e distraído, parecia querer significar. Viramundo entendeu que não; e não serei eu quem haverá de explicar, no meu fraco entender, o entendimento mais fraco ainda deste grande mentecapto. Limito-me a narrar-lhe os feitos e desfeitos, cão de fila que lhe segue fielmente os passos, ainda que estes me conduzam ao abismo de minha ruína literária.

Tais passos desta vez não o levaram longe: Viramundo já se via diante daquela que seria a sua amada a vida inteira. E já se sentia correspondido, entregando-se ali mesmo a uma paixão mais cega do que o velho Elias, a quem imediatamente desistiu de visitar. Só de pensar na distância que o separava de sua amada (o carro já ia longe), seus olhos se enchiam de lágrimas:

— Para tão longo amor, tão curta a vida! — suspirou ele.

Pôs-se a perambular pelos campos, colhendo flores silvestres. Desceu vales, galgou montanhas, até que, morto de cansaço, deixou-se cair no capim e adormeceu sob a luz das primeiras estrelas, com um sorriso nos lábios. Era um sentimento novo, o que lhe enchia o coração.

E que lhe acabava de esvaziar por completo a cabeça. Você quase matou o Viramundo — repetia para si mesmo, dez, vinte, cem vezes, e variando o tom, experimentava captar novamente o timbre adorável daquela voz. "Agradeço a Vossa Alteza", via-se respondendo, "mas não o admoestes: perdoa-o. Eles não sabem o que fazem. A culpa foi toda minha: foi o teu olhar que me fez sucumbir". O que, evidentemente, era um contrassenso, pois o olhar viera depois que o automóvel o havia atingido. Mas quem, a esta altura, terá a veleidade de encontrar algum senso no que Viramundo fez ou deixou de fazer? Naquele momento, por exemplo, em sonhos, ele já fazia grandes mesuras à sua amada, qual um mosqueteiro a brandir o seu chapéu de plumas: "Aliás, não me chamo Viramundo, este é apenas o meu nome de guerra. Devo dizer a Vossa Alteza que me chamo José Geraldo Peres da Nóbrega e Silva."

NA MANHÃ SEGUINTE Viramundo foi procurar o velho Elias. Queria um confidente para o amor que o devorava.

— Elias — foi dizendo, ainda de longe: — Estou amando. Sou o homem mais feliz do mundo.

— Não vejo por quê — respondeu o outro.

— Você não vê porque é cego.

— O amor também é cego.

— O pior cego é aquele que não quer ver.

— É moça donzela? — perguntou o cego.

— Donzela de truz.

— Bota no rabo — sugeriu o velho Elias.

Viramundo se ofendeu:

— Não ando atrás de fornicância, cego pachola. Velho safado! Quem a velhice desmerece pela língua apodrece.

O cego Elias ergueu-se furioso do banquinho e, bengala em riste, pôs-se a bradar pelo filho:

— Matias! Me bota na direção desse filho de uma égua que eu vou ensinar a ele quem é que apodrece. Ah, se eu te pego, Viramundo!

— Viramundo, não: José Geraldo Peres da Nóbrega e Silva — retrucou o grande mentecapto, muito digno. E, desgostoso com seu amigo, foi-se embora em direção à cidade, à procura de melhor confidente.

Encontrou o estudante Dionísio à porta do cinema que, transformado em teatro, seria o local da solene representação dramática a realizar-se ainda naquela noite. O Governador Ladisbão iria comparecer com o seu numeroso séquito, e os estudantes estavam às voltas com o ensaio final da tragédia *Inconfidência Mineira*, escrita por um deles, que seria levada à cena. Muito nervosos se achavam, devido a inúmeras dificuldades até aquele momento ainda não superadas: as barbas de Tiradentes não paravam no lugar, a forca não parava de pé, os papéis de cada um não paravam na cabeça. Viramundo aproximou-se de Dionísio, que ajudava a colocar os cartazes à entrada do teatro, tomou-o pelo braço:

— Quero um minuto de sua preciosa atenção. Preciso fazer-lhe uma confidência.

Dionísio se esquivou:

— Desculpe, mas agora estou muito ocupado. — E para um dos colegas, que, grimpado numa escada, acertava os letreiros: — Conserta o FI de Inconfidência, que está torto.

Viramundo se encheu de brios:

— Minha confidência nada tem a ver com a sua Inconfidência. Cada um sabe o que sabe, com a fidência que lhe cabe.

Deu-lhe as costas e ia-se afastando, quando uma ideia nova fez com que o estudante o chamasse:

— Espera! Que é que você quer de mim?

Viramundo reaproximou-se:

— Vim confiar-lhe que estou amando.

— Não me diga! Mas que excelente notícia! E posso saber quem é o feliz objeto de seu amor?

— É Sua Alteza, a filha do Governador Geral da Província.

O estudante fez por conter o riso, e cumprimentou o mentecapto:

— Meus parabéns! Você não podia fazer melhor escolha.

E acrescentou, passando-lhe o braço sobre o ombro:

— Pois tenho para você uma grata notícia: ela hoje à noite virá assistir ao nosso espetáculo, e gostaríamos que você também representasse.

— Não tenho experiência de ribalta — escusou-se Viramundo.

— Não importa. Confiamos em sua vocação dramática.

Era o caso que no terceiro ato um maltrapilho deveria cruzar a cena, perseguido pelos guardas, a gritar: "Infâmia! Traição!", brandindo o seu cajado, e desaparecer do outro lado do palco. Nenhum dos estudantes queria interpretar semelhante papel, temerosos do ridículo a que ele os expunha. E Dionísio acabava de descobrir em Geraldo Viramundo o intérprete providencial. Este, por seu turno, já se via interpretando um dos principais papéis, para sua doce Marília na plateia:

— Joaquim Silvério não farei jamais. Prefiro Gonzaga.

— Melhor do que isso.

— Tiradentes? — e Viramundo passou a mão no rosto, onde raros fios esparsos mal repontavam. — Infelizmente não tenho barbas para tanto.

— Dizem que ele também não tinha... Mas não seja por isso. Vem comigo.

Deram-lhe o papel com as duas palavras para decorar. Convenceram-no de que elas eram a síntese de todo o drama e que representavam no seu protesto o martírio dos inconfidentes. O resto era a expressão silenciosa com que ele saberia enriquecer o simples ato de cruzar a cena, como só sabiam fazer os grandes atores, e diante do que todas as palavras eram inúteis.

— As grandes dores são mudas — sentenciou Viramundo, a concordar plenamente, esfuziante de alegria.

E passou o resto da tarde estudando a sua parte, enquanto os ensaios gerais prosseguiam. Cederam-lhe um canto do palco, onde ele podia ficar andando para lá e para cá horas seguidas, a repetir "Infâmia! Traição!", até não poder mais de cansaço.

Como o cego Elias enviasse o filho Matias à sua procura, pedindo desculpas pelo desentendimento daquela manhã, mandou o menino de volta com a incumbência de convidar o pai para que viesse vê-lo representar.

O ESPETÁCULO ESTAVA marcado para as oito da noite, mas o Governador Ladisbão com a sua comitiva só chegou às nove. Tudo ia correndo bem: os conjurados tramavam no primeiro ato, Joaquim Silvério atraiçoava no segundo, preparava-se a forca para Tiradentes no terceiro. Viramundo aguardava a deixa, impaciente, mal podendo esperar a hora de entrar em cena. Houve um interlúdio lírico no qual Gonzaga, bigodes pintados, tangia uma lira de arame e cantava a sua Marília, que era um estudante de longas tranças de barbante, debruçado numa varanda de papelão. Eis que Viramundo, não podendo mais suportar tanta espera, irrompe em cena gritando "Infâmia! Traição!" e atravessa o palco em correria desenfreada. A plateia irrompeu em gargalhadas, enquanto os estudantes recolhiam o mentecapto atrás dos cenários, aos safanões:

— Você errou a hora, seu cretino!

O espetáculo prosseguia debaixo de vaia. Somente quando Tiradentes foi trazido à boca de cena, já algemado, a caminho do calabouço, a plateia silenciou, comovida. Entusiasmado, Viramundo ia rompendo palco adentro novamente, para desempenhar seu papel, mas desta vez o próprio Tiradentes, com um gesto decidido, o fez arrepiar carreira. Os demais conjurados desfilavam, agrilhoados, desaparecendo pela saída dos fundos. Por instantes o palco ficou vazio, e Viramundo mal se continha.

— É agora — advertiram os guardas, atrás dele.

E o empurraram para a cena, pondo-se logo ao seu encalço. Viramundo correu até o centro do palco. Silêncio de expectativa na plateia.

— Infâmia! Traição! — bradou ele, a plenos pulmões.

O cego Elias, lá na torrinha, reconhecendo a voz do amigo, pôs-se a aplaudir freneticamente, em regozijo:

— Muito bem, Viramundo! Muito bem! Ensina essa cambada!

O grande mentecapto impou de orgulho cívico, e em vez de fugir pelo outro lado quando os guardas avançaram para ele, conforme ordenava o seu papel tão bem ensaiado, preferiu enfrentá-los, cajado em riste:

— Infâmia! Traição! Para trás, míseros beleguins! Enquanto eu for vivo, tal vilania não se consumará! Fariseus hipócritas! Condutores cegos, que filtrais um mosquito e engolis um camelo! Trazei-me Tiradentes.

E como os chamados beleguins, desorientados, se recusassem a obedecer, Viramundo correu ao proscênio e de uma cajadada certeira pôs abaixo a forca de papelão, que tanto trabalho custara aos estudantes fazer ficar de pé.

— Pronto, ninguém mais será enforcado! Restaure-se a verdade histórica! Glória aos inconfidentes!

Empolgado, o peito arfante, descansou o cajado e curvou-se em reverência ante a plateia que o ovacionava, às gargalhadas. Deste momento se aproveitaram os estudantes para cair sobre ele de bofetadas, enquanto outros lá nos bastidores faziam às pressas cair o pano sobre cena tão grotesca.

A surra que levou esta noite talvez tenha sido das maiores de quantas colheu o grande mentecapto ao longo de sua castigada existência. Saiu do teatro diretamente para o hospital.

P ENALIZADO COM O mísero estado em que seus colegas haviam deixado o mentecapto, Dionísio entendeu que somente a si cabia a culpa do fracasso, desde que sua havia sido a ideia de fazê-lo participar do espetáculo. Para atenuar o remorso que o acabrunhava, ao fim de alguns dias foi visitar o pobre-diabo no hospital.

Mais penalizado ficou, porém, ao verificar que toda a desgraça de Viramundo residia no fato de ter apanhado ainda em cena e portanto à vista de quem era sua amada para todo o sempre. Àquela altura, Marília Ladisbão já havia partido com seu pai para outras paragens.

— Sei que ela agora me vota o maior desprezo. Não a censuro — lastimava-se ele, e punha-se a tecer as mais comoventes insanidades a respeito de sua paixão.

Dionísio consolou-o como pôde, e foi-se embora, acreditando que aquele amor insensato, em tão má hora eclodido, acabaria de vez com a razão de Viramundo — como se razão houvesse ainda que o inspirasse.

Teve então a infeliz ideia, que lhe pareceu brilhante, de proporcionar-lhe algum lenitivo, redigindo e enviando-lhe a seguinte carta:

Mui nobre senhor Geraldo Viramundo:

Tenho para mim que uma das maiores emoções de minha vida foi vê-lo representar no drama "Inconfidência Mineira". Que caráter! Que ímpeto! Que capacidade histriônica! Que poder de improvisação! Não podia deixar de escrever-lhe estas linhas, transmitindo-lhe a minha magnífica impressão, com os meus mais efusivos cumprimentos.

Muito grata pelos grandiosos momentos de arte dramática que me soube proporcionar. Daquela que muito o estima e admira,

Marília Ladisbão

Ao receber a carta, Viramundo se preparava para deixar o hospital. Ainda fraco e combalido, correu a mostrá-la ao estudante.

— Dionísio, nem tudo está perdido!

Dionísio se fez de admirado ao ler a carta e cumprimentou alegremente o mentecapto, sentido-se deveras alegre por lhe ter proporcionado alegria. Este, porém, pediu-lhe de empréstimo uma folha de papel e um envelope, para redigir a resposta.

Levou uma semana a fazê-lo, e não gastou apenas uma folha de papel, senão 266. Dionísio, cansado de fornecê-las uma a uma, comprou afinal e lhe deu de presente uma resma de papel e dois pacotes de envelopes. De posse de tanto material, Viramundo ia sentar-se nas lajes do pátio da cadeia e punha-se a escrever ferozmente a tarde inteira com o toco de lápis de que dispunha.

Que escrevia ele? Agradecia em estilo nobre as palavras de entusiasmo que merecera. Declarava em termos vibrantes e comovidos o grande amor que lhe ia n'alma. Desdobrava-se em destrambelhados, ainda que respeitosos, elogios à amada, confessando que ela era a única: "Nunca gostei de ninguém mais, senão de vós: sois bela, sois formosa, cheirosa criatura! Não sois mulher que se disputa." E depois de citar dezoito vezes o Novo Testamento e sete vezes o Antigo, já se sentindo correspondido, tecia considerações sobre a natureza do amor que a ambos avassalava, para terminar nos seguintes termos: "Meu mundo é o da renúncia, das lágrimas e das dores: sou um pobretão. Nada vos poderei dar: romance, música, perfumes, joias e berloques. Entremos para um convento: eu para um, vós para outro. Fujamos da tentação que nesta terra abunda."

Ao fim de tão afanosa lucubração, chegou afinal à forma definitiva de sua carta e correu a mostrá-la ao estudante seu amigo:

— Não sei como fazer chegar esta epístola às mãos de Sua Alteza.

— Deixe por minha conta.

— Temo que esteja um pouco extensa.

— Absolutamente — respondeu o estudante, verificando que a carta tinha 67 páginas.

Tão compadecido ficou ao vê-la, já toda amassada e cheia de manchas, que a mostrou mais tarde aos colegas, com palavras de comiseração para com a sandice de seu remetente. Um deles, de nome Leandro, leu-a para os demais em meio às gargalhadas:

— "Não sois mulher que se diz puta!"

— "...que nesta terra há bunda!"

Ao fim de tantas troças e zombarias, decidiram de comum acordo e por mero chiste responder à carta.

Eis que se inicia então uma das fases mais intensas na vida de Geraldo Viramundo: sua troca de correspondência com os estudantes, julgando estar a se corresponder com sua amada. E eis que passo pela rama nesta fase de meu relato, já que me é impossível dar a exata medida do grau de maluquice que inspiraram tais cartas: infelizmente se perderam e de nenhuma encontrei paradeiro, por maiores tenham sido os meus esforços em rebuscar coleções, arquivos e alfarrábios em minha terra. Sou forçado, pois, a limitar-me aos elementos de que disponho, encerrando em desventura as aventuras de Viramundo em Ouro Preto, e dando viço novo às suas peregrinações.

Antes de vê-lo bater o pó das sandálias e deixar a cidade para cumprir seu destino andejo, devo deter-me no escandaloso episódio a que deu motivo no baile de gala.

O GOVERNADOR LADISBÃO tornou um dia a Ouro Preto com a filha, e o Prefeito resolveu realizar um grande baile em sua homenagem. Viramundo, embora se correspondendo intensamente com a eleita de seu coração, não tivera antes ocasião de aproximar-se dela. Quando lhe chegou a notícia do baile, alvoroçou-se, julgando ser aquele o momento oportuno. E enviou-lhe uma última e mais do que todas ardente missiva, expressando o seu desejo, após o que foi levá-la para que a remetessem.

— Quero vê-la antes de perdê-la. O destino nos separa.

Os estudantes resolveram levar avante a farsa, não já pelo debique ao nobre mentecapto, mas pelo despeito que a nobreza de sua amada lhes inspirava: nenhum deles lhe havia merecido a graça de um olhar e nem ao menos foram convidados para o baile. Como desforra, contavam com Viramundo para expô-la ao ridículo.

Assim, forjaram logo a resposta da carta em termos tão amorosos que seu destinatário, ao lê-la, teve os olhos rasos d'água. Sofrendo como um cão sem dono a extensão de seu amor, suspirou:

— Amar assim a vida inteira vai ser uma dolorosa provação. Para ser sincero: vai ser uma merda.

Tal expressão, tão rara em Viramundo e que aqui reproduzo com a devida vênia, consubstanciou-se mais cedo do que ele esperava.

Chegado o dia do baile, Dionísio, que não participava da troça dos colegas, mas ao contrário os censurava duramente, tentou dissuadi-lo da ideia de comparecer, revelando-lhe afinal toda a verdade: quem escrevia as cartas não era ninguém senão o próprio estudante Leandro, useiro e vezeiro em brincadeiras que tais. E urgiu com o mentecapto, que teimava em não acreditar, fazendo ouvidos de mercador e se julgando, agora sim, vítima de alguma brincadeira:

— Desista disso, Viramundo. Ela nunca ouviu falar em você. Você não conseguirá entrar no baile.

— Quem tem topete não vê tapete — retorquiu Viramundo, com hombridade e galhardia.

E pela primeira vez na vida limpo, bem penteado e bem-vestido, com roupas e sapatos que os estudantes lhe emprestaram, o grande mentecapto se viu naquela mesma noite nos salões do clube local, entre os distintos convidados que homenageavam o Governador Ladisbão e sua comitiva. Como logrou entrar, desmentindo o estudante Dionísio, é coisa de somenos que não me cabe investigar. Talvez os próprios estudantes o houvessem ajudado, usando para isto uma de suas artimanhas de penetras, no que são exímios (neste sentido, alvitrarei mesmo uma hipótese mais adiante). Ou talvez Viramundo, que sobejas vezes provou ter topete, não visse mesmo tapete e fosse entrando. O certo é que, por sua obra e graça, mais obra do que graça, diga-se de passagem, o baile daquela noite marcou um dos acontecimentos mais espantosos que jamais havia registrado a história da cidade.

Quando ele chegou, os convivas, depois de se terem banqueteado à farta no *buffet* onde eram servidas as mais finas iguarias e os mais requintados manjares, davam início às danças. Viam-se pessoas gradas do lugar e d'alhures: altos figurões da política, das artes, das armas, dos ofícios e das letras haviam acorrido dos quatro cantos da Província para homenagear naquele ágape dançante o Governador Ladisbão. Pela manhã chegara da capital um trem especial trazendo importantes convivas. Senhores de casaca ou de farda de gala se misturavam a senhoras ricamente ajaezadas, palrando alegremente, enquanto a orquestra, também chegada especialmente da capital, atacava a primeira valsa.

Viramundo cruzou o salão sem ser pressentido por ninguém, à procura daquela cujo amor ali o trouxera. Teve de abrir caminho entre os inúmeros admiradores que a cercavam a um canto.

— Vossa Alteza me permite...

— Traga-me um ponche — ordenou ela, sem olhá-lo, tomando-o por um garçom, e aqui a hipótese: provavelmente os estudantes o tivessem mesmo disfarçado como tal, para introduzi-lo no clube.

Viramundo obedeceu sem titubear: atravessou de novo o salão, desceu as escadas e dirigiu-se à chapeleira junto à entrada:

— O poncho de Sua Alteza.

Não só não conseguiu se fazer entender, como, de volta à sua amada para dar-lhe conhecimento do fracasso da missão, não conseguiu mais localizá-la.

— Talvez ela tenha ido buscar o poncho pessoalmente — pensou ele, esgueirando-se pelos cantos, intimidado pela beleza das mulheres e a importância dos cavalheiros que o cercavam. Sua presença já começava a causar espécie e despertar estranheza. Então Viramundo se refugiou no *buffet*, àquela hora deserto.

Antes nunca o houvera feito. Pôs-se a comer distraidamente o que encontrava e, esquecido de tudo mais, ao fim de meia hora deixava a mesa vazia. Depois de se regalar com algumas dúzias de empadas, pastéis, croquetes, mães-bentas, brevidades, pães de queijo, brioches, sonhos, rosquinhas, quebra-quebras, engorda-padres, quero-mais, suspiros, broinhas de fubá e outras quitandas de igual qualidade, sentiu estimulado o seu apetite a ponto de destrinchar um peru recheado com farofa do qual deixou apenas os ossos e ingerir uma boa posta de lombo de porco, com tutu de feijão, ora-pro-nobis e torresmos. Depois passou à mesa de doces: doce de coco, doce de leite, papo de anjo, baba de moça, ambrosia, doce de abóbora, doce de batata-doce. Experimentou uma generosa porção de cada espécie.

Ao fim, viu-se às voltas com inadiável necessidade de aliviar-se de tanta comilância, agrilhoado por uma ingente, urgente e pungente dor de barriga.

Correu ao toalete, encontrou-o ocupado. Aguardou alguns minutos preciosos, mas como não pudesse mais se conter e temendo o desastre, embarafustou-se pelos corredores do clube, subiu correndo uma escadinha de ferro em espiral. Suspirou, aliviado, vendo-se sozinho no sótão escuro e abandonado. Premido pela urgência, mal pôde dirigir-se à boca de um cano aberto a um canto, e já baixava as calças. Era provavelmente um cano de esgoto, portanto mais do que propício, e... Jamais poderia eu descrever o que se passou então. Faltam-me engenho e arte para dar ideia da cena dantesca que se seguiu. Direi apenas que o referido cano não era de esgoto, mas mera entrada de ar para um ventilador que girava diretamente sobre o salão de baile.

Quando Viramundo regressou ao salão, o baile, como por encanto, havia terminado, pois o Governador Ladisbão fora o primeiro a retirar-se, comandando:

— Vamos embora, pessoal, que já está chovendo bosta.

No dia seguinte a notícia do catastrófico acontecimento que pusera fim ao grande baile de gala tomou conta da cidade, como uma onda de mau cheiro, que em pouco se espalhava pela Província inteira. Ninguém sabia apontar as suas causas, mas todos o comentavam a seu modo; uns, mais objetivos, falando em possíveis canos de esgoto arrebentados; outros, mais sugestionáveis, dizendo tratar-se de estranho fenômeno teratológico. A tamanha confusão de ideias e opiniões deveu Viramundo a sorte de não ser descoberto e em consequência não receber o castigo de que sua tremebunda responsabilidade no fenômeno o fazia merecedor. O Governador Ladisbão, supersticioso, falou em artes do demônio e foi-se naquela mesma madrugada para Barbacena, dispensando o festivo bota-fora que o Prefeito lhe havia preparado.

Apanhado de surpresa pela repentina partida da comitiva governamental, Viramundo, desgostoso, resolveu também abandonar Ouro Preto. O que já não era sem tempo, pois, como ele próprio costumava dizer, quem embica em cidadela suas barbas arrepela. O amor agora lhe inspirava novas andanças e Viramundo, fiel ao seu destino de virar o mundo, largou-se de Ouro Preto certa manhã, depois de se despedir do cego Elias, e meteu o pé na estrada, empós de sua amada.

CAPÍTULO IV

*De como Viramundo colheu rosas e espinhos em Barbacena,
indo parar num hospício de onde logrou fugir, graças a uma
treta bem-sucedida, e acabou candidato a prefeito da cidade.*

DANDO POR PAUS e por pedras, fazendo das tripas coração, metendo-se em camisa de onze varas, comendo o pão que o diabo amassou com o rabo, e encravilhando-se em fofas, Geraldo Viramundo chegou a Barbacena.

Tantas e tais coisas lhe aconteceram pelo caminho, que só elas, devidamente narradas, dariam outro relato de sua vida, tão extenso como este em que me empenho. Deixo a biógrafos mais bem-dotados uma oportunidade de completar o meu trabalho, metendo-se nos meandros que de passagem vão ficando inexplorados, como os que aqui se referem aos caminhos e descaminhos de Viramundo de Ouro Preto a Barbacena e tudo que de estranho lhe aconteceu. Faço mais: forneço dados para pesquisas, referindo-me a certos episódios desse tempo, como o da cabra que Viramundo encontrou numa grota onde veio a se abrigar; o do caminhão enguiçado que Viramundo fez funcionar; o do lenhador que chorava por ter perdido a sua medalhinha e que Viramundo consolou; o da

83

mulher prenhe de doze meses cujo filho Viramundo, por um expediente bem-sucedido, logrou que nascesse. E outros, outros mais. Deixo-os para trás e sigo pressuroso na minha vereda, segundo o simples esquema a que me atenho, segredo do sucesso de João Guimarães Rosa, mal comparando: não perder nunca o fio da meada, nem que esta me leve a afundar-me no que seria dela um mero erro tipográfico.

No caso o fio é ainda Marília Ladisbão, empós de quem Viramundo andava, e que partira de Ouro Preto para Barbacena, onde deveria estar.

Não estava. O tempo havia passado e o Governador Ladisbão, de quem por ora não se ouvirá falar, já seguia com sua comitiva por outras andanças. Sem saber de nada, o grande mentecapto, fiel ao propósito de rever a donzela de seus sonhos, resolveu que deveria munir-se de algumas rosas para lhe ofertar, de que Barbacena era, diziam, tão pródiga, nas mais variegadas espécies e matizes.

Para isso, dirigiu-se à granja de um alemão que mercadejava com rosas, logo à entrada da cidade, e recomendada como a que melhor se oferecia entre todas.

Chamava-se o dito alemão Herr Bosmann, e era um homem árdego, teimoso e grosseirão. Um dia, ainda moço, mandara um negro plantar um pinheiro, pensando na colheita.

— Ninguém colhe pinha do pinheiro que plantou — sentenciou o negro.

— Pinheiro meu, quem colhe sou eu — retrucou o alemão, enraivecido.

Trinta anos depois mandou chamar o negro, já velho e alquebrado:

— Agora você vai subir no pinheiro e colher pinha para aprender a acreditar em mim.

E obrigou o pobre homem a subir penosamente na árvore, cutucando-o por baixo com uma vara. Tão estafante foi o esforço que o ancião, antes de chegar aos primeiros galhos, já botava os bofes para fora, e desgarrou-se do tronco, esborrachou-se no chão. Assim rezava a crônica de Barbacena.

Geraldo Viramundo encontrou o velho Herr Bosmann apoiado em seu bordão, comandando um exército de negrinhos, netos do negro velho de que cuidou o nosso caso, entre as filas de roseiras floridas.

— Vim comprar rosas — foi dizendo Viramundo, ao vê-lo.

O velho examinou com desprezo o nosso herói.

— Quantas quer? — perguntou, sem saber como as poderia pagar o comprador, e este sabia menos.

— Todas — foi a resposta decidida. — São para Sua Alteza, a filha do Governador Geral da Província.

Imediatamente Herr Bosmann julgou estar diante de um extraviado inquilino dos numerosos manicômios de que Barbacena então já era centro, e contavam-se na casa dos trezentos.

— Não me importa quem as recebe e sim quem as paga — respondeu, truculento. — E o senhor não me parece homem de pagar por noventa e três mil, oitocentas e dezessete rosas, que é a safra deste ano.

Viramundo não se intimidou:

— Por que não? Trocaria todo dinheiro que tivesse, se o tivesse, pelas rosas que o senhor tem. E o dinheiro que tem lhe baste, que rosa caída não volta à haste.

— Se não tem dinheiro, ponha-se para fora daqui — ordenou o alemão, crescendo para ele.

— Não me toque: não me bata nem com uma flor — advertiu Viramundo, recuando um passo e pisando inadvertidamente numa roseira em botão. Antes que ele desse tento no que sucedia, Herr Bosmann descarregava-lhe violentas bordoadas no lombo, para o espanto e a risada dos negrinhos. Quis reagir, mas, aos gritos do alemão, dois empregados vieram acudi-lo e em poucos segundos deram com Viramundo na rua, depois de mais algumas bordoadas.

— Vai comprar rosas na casa de Sua Alteza, a puta que o pariu! — gritava-lhe de longe o alemão, brandindo o bordão.

Viramundo não se deixou intimidar:

— Hás de me pagar, prussiano! Por estas e outras é que a Alemanha se defoisterou!* Alemão cascudo!

Ao que a molecada, abandonando o serviço e em debandada por entre as roseiras, não titubeava em fazer coro:

— Carrapato barrigudo!

— Come banana com casca e tudo!

Herr Bosmann não podia de raiva, porque os moleques desfolhavam suas rosas. Um pingo d'água, isto é, Viramundo, fizera entornar o caldo e os negrinhos sem saber cumpriam o seu destino, vingando a morte do avô a pétalas de rosa.

Viramundo gritou ainda lá da rua:

— Não ficará pétala sobre pétala!

E foi-se embora, furioso da vida.

---

*Por mais que pesquisasse, não encontrei a origem ou sequer a verdadeira acepção deste vocábulo. Há quem acredite que se trate de um anglicismo, de radical "foirst", isto é, "first" em pronúncia irlandesa, donde defoisterar seria "deixar de ser o primeiro". Mas é sabido que Viramundo nunca esteve na Irlanda ou em nenhuma parte da Grã-Bretanha e nem ao menos sabia inglês (*N. do A.*)

NA PRIMEIRA VENDA que se lhe deparou, Viramundo ia entrando para pedir um copo d'água, quando deu com um vendedor de esterco conhecido na cidade pela alcunha de Barbeca, por ser barbado e careca.

— Barba cerrada e careca rapada: urubu camarada — pensou.

E contou-lhe sua desventura com Herr Bosmann e as rosas desfolhadas.

— Eram para Sua Alteza, a filha do Governador Geral da Província — lamuriou-se.

Ficaram por ali de conversa e Barbeca acabou propondo ao grande mentecapto que se vingassem da insolência do alemão. Também contra ele, Barbeca, o velho Bosmann certa feita praticara uma das suas, arrepanhando-lhe as barbas num repelão por causa de um pouco de esterco.

— Até as rosas têm nojo dele. Já lhe contaram o caso do negro velho?

Concertaram um plano a ser executado naquela mesma noite. Consistia em furtar a Herr Bosmann todas as rosas que pudessem. Viramundo, seja dito a bem da verdade, não tinha intenção de furtar, pois não era de seu feitio semelhante proceder; pretendera comprar as rosas, e como o alemão se recusara a vendê-las, considerava-se justificado em delas se apropriar, pois destinavam-se a nobre fim, qual fosse o de ofertá-las à sua amada.

Muniram-se de dois grandes sacos e, quando todos dormiam, pularam o muro da granja do alemão.

— Tem cachorro? — perguntou Viramundo, apreensivo com o silêncio da noite. — Cão que não ladra morde.

— Não tem perigo — tranquilizou-o seu novo companheiro.

— Não tem perigo de ter cachorro? — insistiu o mentecapto.

— Cachorro tem, mas são meus amigos.

Em verdade assim era: dois mastins que de súbito saltaram da escuridão sobre os intrusos, fazendo Viramundo arrepiar carreira apavorado, mudaram de atitude ao sentirem o cheiro bastante pronunciado do vendedor de esterco. Lamberam-lhe a mão, olharam desconfiados para Viramundo e se foram, deixando em paz os dois improvisados ladrões de rosas.

Em pouco, invadindo o roseiral, colheram todas as rosas ao alcance de suas mãos, com uma tesoura que haviam trazido para tal fim. Sendo muito numerosas, e pequenos para contê-las os dois grandes sacos, em breve formavam uma massa de pétalas desfolhadas e comprimidas que não se podia propiciar a quem quer que fosse, quanto mais a Sua Alteza, a filha do Governador Geral da Província. Por isso os dois amigos, do lado de fora da granja, limitaram-se a celebrar o bom sucesso da empreitada e saíram a passear noite adentro, saco às costas, espargindo pétalas pelas ruas da cidade, no que foram vistos por mais de um notâmbulo, e Barbacena deles também era pródiga.

No dia seguinte Herr Bosmann, verificando o estrago no seu roseiral, deu queixa à polícia, e esta não teve dificuldade em descobrir os responsáveis. Foram imediatamente detidos; o vendedor de esterco Barbeca foi trancafiado no xadrez, se não por esta, por outras queixas mais antigas que contra ele se registravam; Viramundo, deixando transparecer logo à primeira vista as precárias condições de seu estado mental, viu-se recolhido a um manicômio.

A O DAR ENTRADA em sua nova residência, Geraldo Viramundo foi levado diretamente ao gabinete do diretor, um velhinho de cabeça branca e olhos azuis que atendia pelo nome de Dr. Pantaleão.

— Você o que é, meu filho? — perguntou o Dr. Pantaleão.

— Sou cristão pela graça de Deus — respondeu Viramundo.

— Isso! Assim é que serve. Esse pelo menos fala. Cada doido com sua mania. De médico e louco todos temos um pouco. Eu estou perguntando qual é a sua encarnação.

Antes que Viramundo pensasse em responder, Dr. Pantaleão disparava a falar, muito depressinha:

— Napoleão ainda temos uns três ou quatro. Já tivemos uma porção. Nunca tivemos é um papa, mas santos temos vários. Temos também um que é grão de milho, não pode ver uma galinha, foge correndo. E tem outro que é justamente galinha, vive a perseguir o pobre do grão de milho, cacarejando. Tem um que é cafeteira: passa o dia inteiro com um braço na cintura e outro para cima, mas não serve café a ninguém, acho que está vazia. Tem de tudo. Dom Pedro temos dois. Pedro Segundo, digo. Não sei por que, mas Pedro Primeiro nunca mais apareceu. O último que tivemos, já faz tempo, morreu de tanto grito do Ipiranga que ele dava, proclamando a independência. Independência ou morte! Independência ou morte! Independência ou morte! Ficava assim o tempo todo, montado numa vassoura. Você o que é?

— Eu sou mais eu — respondeu Viramundo prontamente.

— Não pode. Se você fosse mais você, não estaria aqui. Você é menos você, isso sim. E noves fora, zero. Se eu fosse você, seria alguém mais, não seria eu. Portanto, você tem de ser alguém. Basta escolher. Só não escolha Tiradentes, que você pode se dar mal. Já tivemos um, e acabaram enforcando o coitado. Foi preciso que Caxias, o pacificador, viesse botar ordem nesta joça, que isto aqui estava uma verdadeira loucura. Se é que você me permite esta redundância, hi! hi! hi! Todo mundo aqui dentro tem de ser alguém ou alguma coisa. Você o que é?

Sem esperar resposta, o Dr. Pantaleão se aproximou dele e continuou a falar, baixando a voz e com um brilho de esperteza nos olhinhos:

— Vou lhe dar um conselho: seja coisa, não seja gente. Coisa é muito melhor. Uma coisa bem macia, bem leve, bem fofa... Uma nuvem, por exemplo. Eu vou lhe contar um segredo, peço que não conte para ninguém. Quando vim para cá, minha intenção era ser uma nuvem, mas não pude, porque tinha que andar pelado, o que era incompatível com a minha condição de diretor. E você já imaginou uma nuvem de calças? Hi! hi! hi!

— Vladimir Maiakovski — exclamou Viramundo solenemente.

Dr. Pantaleão levou um susto, deu um pulo para trás e passou a olhá-lo com mais respeito:

— Que é isso, meu filho?

— Poeta russo. Autor desse poema que o senhor mencionou, "Nuvem de Calças".

Como já disse, e se não disse, digo agora, Geraldo Viramundo era chegado à poesia, e tinha lido o mencionado poema em tradução da autoria de outro poeta, sul-americano este, de nome Pablo Menendez de los Campos, publicada numa revista que por acaso lhe caíra nas mãos. Tudo isso Viramundo logrou dizer às pressas, aproveitando-se do espanto do Dr. Pantaleão, que estava deveras impressionado com tamanha erudição:

— Bem, poeta russo pode ser. Mas que ideia, hi! hi! hi! Não me leve a mal se acho engraçado. Como é mesmo o nome? Merdakovski?

Daí a origem do epíteto Merdakovski, General Búlgaro, constante da lista de apelidos por mim coligida e já apresentada neste trabalho. Só que Maiakovski não era búlgaro e, ao que me conste, nunca foi General. Mas querer, quem há-de! encontrar alguma razão em alcunha originada num hospício? Porque, a partir daquele momento, Merdakovski ele ficou sendo, para o Dr. Pantaleão e seus inquilinos, durante a temporada que passou naquela instituição.

Temporada mais curta que seria de se imaginar, e encerrada mercê de engenhosa artimanha do grande mentecapto, como teremos ocasião de ver mais adiante, no prosseguimento de nosso relato.

Encaminhado pelo diretor ao pátio onde se encontravam os demais internos, logo Viramundo teve a surpresa de verificar que praticamente tudo que o Dr. Pantaleão lhe dissera ali se confirmava. Ao entrar, passou por ele, correndo apavorado, o tal que era milho, perseguido por outro que, aos cocoricos, batia os braços à guisa de asas. Mais adiante cruzou com um barbudo a quem os demais tratavam respeitosamente de Sua Majestade, o Imperador. Havia realmente mais de um com semelhante título e, agastados um com o outro, os dois imperadores não se falavam, cada um cercado de seus cortesãos. No centro do pátio deu com um gigante de mais de dois metros de altura, com os braços erguidos, imóvel como se fosse uma árvore. No seu perturbado entender, era mesmo uma árvore, ou, mais precisamente, um carvalho, em decorrência de seu nome, pois se chamava Salustiel Carvalho, conforme os outros

91

internos logo informaram ao recém-chegado, convidando-o para sentar-se à sombra de seus galhos. Viramundo se sentia à vontade no meio deles, conversava com um e outro, ria e brincava, como se finalmente estivesse entre seus pares, criaturas de sua mesma refinada estirpe.

A um canto, viu um sujeito que tinha o ouvido colado à parede. Aproximou-se dele.

— Psiu — fez o outro, pedindo silêncio com o dedo sobre os lábios. Depois convocou seu novo colega com um gesto de mão: — Quer ouvir também?

Viramundo encostou o ouvido na parede e ficou à escuta. Nada, silêncio total.

— Não estou ouvindo nada — confessou, afinal.

O outro confirmou, com olhar matreiro, sem descolar a orelha da parede:

— Eu também não. E está assim há mais de doze horas!

Eu encheria páginas e páginas, se fosse descrever em minúcias que tais cada momento vivido pelo grande mentecapto no hospício. Repetirei apenas que ele se sentia bem ali, como se estivesse na sua própria casa, em Rio Acima, rodeado de seus irmãos. E não teria lançado mão de nenhum estratagema para escapar, como o fez, não fora haver descoberto que se achava em tal lugar não propriamente por sua livre e espontânea vontade, mas como um condenado recolhido à prisão, qual o seu amigo Barbeca, a quem um dia decidiu visitar. Tendo ido à presença do diretor para deste saber quando seria possível fazê--lo, o Dr. Pantaleão lhe respondeu com um risinho velhaco:

— No dia de São Nunca, Merdakovski.

— Merdakovski não senhor: José Geraldo Peres da Nóbrega e Silva — protestou Viramundo, ferido nos seus brios, pois sabia perfeitamente que jamais existiu santo algum com semelhante nome, sendo, pois, improvável que houvesse no calendário dia a ele votado. Sentia-se tolhido na sua liberdade de ir e vir, que era um dos postulados mais caros às suas convicções, libertas quae sera tamen! Ainda que tardia, saberia conquistá-la. Não tardou tanto. Ao sair do gabinete do diretor, teve a surpresa de dar na sala de espera com alguém que o fez recuar para não ser visto, e escafeder-se em seguida por um corredor. Era ninguém mais e ninguém menos que o próprio Herr Bosmann, o alemão das rosas desfolhadas, que, carrancudo, esperava a vez de ser atendido.

Com efeito, Herr Bosmann, depois de passar pela cadeia local para verificar se um dos vândalos que dizimaram seu roseiral estava purgando devidamente o malfeito, fora ao hospício para certificar-se também em relação ao outro.

Viramundo deu consigo numa enfermaria àquela hora de-serta. Ao ver num cabide um jaleco de médico, não pensou duas vezes antes de vesti-lo e passar a uma saleta contígua, onde dois enfermeiros espadaúdos tomavam café com requeijão e discreteavam, folgazões, enquanto os pacientes nas galerias e no pátio lhes davam alguma trégua. Ao ver aquele médico, egresso do gabinete do diretor, dirigir-se a eles, compenetraram-se, respeitosos:

— Às suas ordens, doutor.

O grande mentecapto não perdeu tempo em fazê-los instrumentos da trapaça que lhe ocorrera pôr em prática. Falou-lhes que ali na sala de espera estava um perigoso paciente que ele viera trazer, sujeito a crises de cólera nas suas alucinações, dizendo-se estrangeiro e dono de extensos roseirais na cidade; urgia fosse imediatamente internado, tanto mais que, na sua sandice, dizia-se vítima dele próprio, Dr. José Geraldo Peres da Nóbrega e Silva, renomado alienista, com longa prática nos hospitais de Berlim e Viena e que, transvertido num vagabundo qualquer, teria destruído suas roseiras.

Os dois guardiães não vacilaram em dar cumprimento às ordens do Dr. Peres da Nóbrega e Silva. Dirigiram-se decididos à sala de espera, empolgaram sem perda de tempo o alemão pelos braços e pelas pernas e recolheram-no ao hospício, por mais que ele esperneasse, tomado de fúria ao ver Viramundo todo catita no seu jaleco de médico:

— É ele! É o vagabundo que destruiu minhas roseiras! Ele é que é o doido e não eu!

Reza a crônica da cidade que Herr Bosmann teria ficado no hospício o resto de sua vida, já investido na personalidade do Kaiser Guilherme II, Rei da Prússia e Imperador da Germânia, assegurando a todos que a Alemanha sairia vitoriosa na guerra de 1914. Quanto a isso, eu não saberia dizer. Sei apenas que seus gritos de protesto ainda ecoavam pelos corredores do manicômio e o Dr. José Geraldo Peres da Nóbrega e Silva já ganhava calmamente a rua, lastimando apenas não ter-se despedido do Dr. Pantaleão que, colega para colega, não era má pessoa, apenas um pouco alcançado pela idade no seu descortino mental.

NUMA TARDE DE OUTONO barbacenense, estação em que as rosas fenecem e os frutos amadurecem, Geraldo Viramundo conversava despreocupadamente com seu amigo Barbeca, na esquina da Rua Bias Fortes com a Rua José Bonifácio, quando o vendedor de esterco lhe perguntou:

— Você é biista ou bonifacista?

Como se vê, Barbeca já fora solto e o caso das rosas completamente esquecido, desde o misterioso desaparecimento de Herr Bosmann. Viramundo era conhecido na cidade, depois que se espalhara a notícia do acontecimento de que fora causa* durante o baile de gala em Ouro Preto:

— Aquele é o homem que cagou na cabeça do Governador Ladisbão — apontavam, ao vê-lo passar.

Dou vaza aqui a semelhante expressão, não só por fidelidade ao compromisso de me ater à veracidade dos fatos, como por ser de lídima acepção em nosso vernáculo, desde Gil Vicente, que já dela fazia uso com raro sucesso. E ela é tão mais importante quanto exprime à perfeição a conotação política de contestação ao regime vigente, atribuída às desastrosas consequências da revolução intestina de que Viramundo se viu atacado naquela noite fatídica. Ambas as facções políticas locais se diziam avessas ao Governador Ladisbão, e era a elas que se referia naquela tarde o vendedor de esterco, ao perguntar a seu amigo:

— Você é biista ou bonifacista?

— Fascista nunca fui, não sou e jamais serei — respondeu Viramundo, melindrado. — Sou liberal-democrata, monarquista e parlamentarista.

— Você não me entendeu — tornou o outro, impaciente.

— Quem é que falou em fascista? Eu falei em *bonifacista*.

---

*Se ninguém chegou a saber quem fora o responsável, como tal responsabilidade veio a tornar-se pública? Trata-se de um desses pormenores em que costumam tropeçar os escritores pouco ciosos da verossimilhança no registro dos fatos, o que não é o nosso caso. Apresso-me a esclarecer ao leitor ter sido o próprio Viramundo a contar o acontecido ao seu amigo Barbeca, que se encarregou de divulgá-lo pelos quatro cantos da cidade (*N. do A.*)

— Que vem a ser isso?

— É quem apoia os bonifácios.

— Sei lá quem são os bonifácios! — respondeu o mentecapto, já por conta do Bonifácio.

— São os inimigos dos bias — informou Barbeca.

— Quem são os bias?

— São os inimigos dos bonifácios.

E ficariam nisso, se Barbeca não insistisse:

— Aqui em Barbacena a gente tem de ser biista ou bonifacista. Você, o que é?

Viramundo, aborrecido, lembrou-se do Dr. Pantaleão: todo mundo naquela cidade tinha era mania de perguntar o que os outros eram.

— Não sei — respondeu, evasivo. — Ainda não li as plataformas. Você, o que é?

— Eu nasci biista, porque meu nascimento foi na maternidade dos bias. Mas logo virei bonifacista porque fui batizado na igreja dos bonifácios. E assim foi indo na minha vida inteira. Na cidade tudo é duplo: armazém, escola, cinema, clube, salão de barbeiro, até puteiro, tem de um e tem de outro.

— E hoje, o que você é?

— Bem, hoje de manhã eu acordei bonifacista porque a primeira coisa que eu fiz foi tomar uma cachacinha no botequim dos bonifácios. Depois fui levar uns sacos de esterco na fazenda dos bias e voltei de lá biista.

— Eu quero saber aqui e agora — insistiu Viramundo.

— Ainda agorinha nós estávamos ali na Rua Bias Fortes, de modos que eu era biista. Agora estamos indo pela Rua José Bonifácio, de modos que eu sou bonifacista.

De fato, os dois amigos iam seguindo rua afora, distraídos com a sua peripatética conversação, como dois filósofos gregos. Detiveram-se em frente a um café, na praça principal da cidade, cujo nome no momento não me ocorre se era Praça Bias Fortes ou Praça José Bonifácio.

— Esse café, por exemplo — perguntou Viramundo: — É biista ou bonifacista?

— Nem um nem outro — respondeu Barbeca. — É o único lugar da cidade que não é de nenhum dos dois, porque ficou sendo o café do Seu Jorge francês.

— Quem é Seu Jorge francês?

— É um escritor muito importante que veio morar em Barbacena. É o segundo romancista vivo da França.

— Qual é o primeiro?

Barbeca passou a mão pela barba:

— O primeiro eu não sei não.

E apontou:

— Olha ele lá. Passa o dia inteiro escrevendo os livros dele naquela mesa.

Interessado, Viramundo olhou para onde apontava o outro. Ao ver aquele senhor corpulento de bigode grisalho e olhos claros, tendo a seu lado duas bengalas e debruçado numa das mesas do café a escrever sem parar, o grande mentecapto, que, conforme eu já disse, era versado em literatura, bateu com a mão na testa:

— É o Georges Bernanos! Já li um livro dele!

E entrou intrepidamente café adentro, foi direto ao romancista, fez-lhe uma grande mesura:

— Permita-me cumprimentar o consagrado autor do *Diário de um Pároco de Aldeia* na tradução de Edgar de Godoi da Mata Machado!

O escritor olhou-o num misto de surpresa e curiosidade:

— *Je ne parle pas le portugais* — explicou.

O grande mentecapto, versado no idioma de Montaigne, respondeu prontamente:

— *J'ai perdu ma plume dans le jardin de ma tante!*

E prosseguiu, excitadíssimo:

— *Après moi, le déluge! À quelque chose, malheur est bon! À tout seigneur, tout honneur! L'État c'est moi! Le léon est le roi des animaux! Le roi est mort, vive le roi! Sans peur et sans reproche! Tout le monde et son père! Et pour cause! Excusez du peu!*

Com isso se esgotaram os conhecimentos de francês do grande mentecapto. Cada vez mais entusiasmado com a proximidade de um escritor de verdade, figura ilustre da literatura francesa e quiçá universal, arrematou:

— Permita-me homenageá-lo, oferecendo-lhe um modesto regalo.

Pôs-se a retirar dos bolsos seus pertences, os quais já foram enumerados em parte anterior deste trabalho, e que continuavam os mesmos, a saber: um pedaço de barbante, uma escova de dentes, um terço, um toco de lápis, uma caderneta, um lenço vermelho e alguns recortes de jornais. A eles acrescentavam-se o maço de cartas de Marília Ladisbão e um coco-da-serra que havia colhido no mato ainda aquela manhã, o qual pretendia comer como sobremesa ao jantar, se jantar houvesse. Embora invariavelmente recusasse esmolas, aceitava de bom grado qualquer ajuda que se consubstanciasse em alimento. Estendeu o coco ao romancista:

— Peço-lhe que não ponha reparo na humildade desta oferenda.

O outro examinou o fruto com interesse:

— *Comment s'appelle ça?*

— Come-se com a mão, mas não se pela: quebra-se — respondeu Viramundo.

— *Comment?*

— Com a mão ou com o que o senhor quiser. Batendo na casca ela quebra.

— *Je ne comprends pas.*

— Não é para comprar: eu estou lhe dando de presente.

— *Je ne comprends pas, mon ami.*

— Não é para comprar, já falei! Estou lhe oferecendo de graça!

Desistindo de entender, o romancista francês deu de ombros e voltou a escrever, passando a ignorar o importuno. Este depositou o coco sobre a mesa, fez meia-volta e saiu dignamente do café, indo juntar-se ao amigo que o esperava na rua:

— *Tout est bien qui finit bien!* — sentenciou.

P OR ESTA ÉPOCA a cidade inteira se indignava com a situação criada por Clarimundo Ladisbão, Governador Geral da Província, que a ela queria impor como candidato único nas eleições municipais um Prefeito de sua exclusiva escolha, que nem ao menos natural do lugar vinha a ser. As duas facções políticas, que de maneira tão radical rivalizavam na disputa do poder, pela primeira vez na história do município se identificavam no repúdio a semelhante imposição.

Detenho-me nestas tediosas minúcias da política local para melhor entendimento dos fatos empolgantes que logo se sucederam, tendo nosso herói como elemento principal.

Falei em eleições, mas creio não ter deixado bem claro que a decisão das urnas não prevalecia, desde que não havia escolha e a votação servia apenas para ratificar o nome do candidato único, escolhido pelo Governo. Como desagravo, os dois partidos estavam empenhados em lançar um candidato, ao arrepio da imposição governamental, que simbolizaria o protesto da cidade contra semelhante patranha. Nascida como simples chalaça de um pândego qualquer, a ideia de erigir Geraldo Viramundo em candidato da oposição se alastrou pela cidade, entre risadas, e acabou perfilhada por ambas as corre- tes políticas, que viam na figura física e mental do mentecapto o modelo ideal para realizar os seus desígnios de desmoralizar o pleito.

Uma comissão recrutada entre os frequentadores do bar dos bias foi jocosamente comunicar ao grande mentecapto o papel histórico que lhe estava reservado, logo secundada por outra comissão, egressa do bar dos bonifácios. Viramundo, que tinha como abrigo nas suas noites os desvãos das pontes, das soleiras das portas e as betesgas dos subúrbios, erigira seu escritório e quartel-general um banco da praça. Ali o foram encontrar os portadores da honrosa missão que lhe era outorgada.

— Se for para o bem de todos e felicidade geral da nação, diga ao povo que aceito — disse ele, comovido.

A partir de então a cidade se alvoroçou com a farsa com que pretendiam afrontar o governo. O candidato se compenetrou de seu papel, e comícios eram promovidos quase todos os dias, com grande concentração popular, nos quais ele pregava o seu programa.

Começava por defender a tese de que os grandes males da humanidade advêm do dinheiro: o vil metal era uma instituição abominável, que deveria ser para sempre abolida na relação entre os homens. Cada um teria uma cadernetinha, onde simplesmente anotaria em quanto andava seu débito em relação às outras pessoas, débito que se abateria face ao que estas mesmas pessoas lhe devessem. Tão engenhosa teoria econômica era discutida por todos, entre motejos, ensejando novas hipóteses e suposições: como proceder em relação ao fisco? Como se compensariam as rameiras em relação à sua prestação de serviços, que eram de utilidade pública, na vigência de tal sistema creditício?

Mas o candidato, empolgado na defesa dos postulados de sua plataforma, não se detinha em tais minúcias e levava avante a campanha, prometendo introduzir outras inovações na vida pública. Acabaria com o papelório que entulhava mesas e gavetas das repartições, pois todos os assuntos seriam resolvidos de boca e os compromissos assumidos no fio de barba. A cada dia surgia ele com uma novidade, e dizia, entusiasmado, para seu amigo Barbeca:

— Você vai ser meu Secretário de Agricultura.

Erigiu como primado de sua política econômica o princípio da barganha, ou seja: não havendo outros recursos para assegurar a receita do município (já que pretendia abolir todos os impostos), mobilizaria uma fonte latente de riquezas através da troca, movimentando aquilo que era dado por abandono, verdadeira fortuna em potencial. Seu lema para a extraordinária campanha era exclusivamente este: "Trocam-se arreios usados por aves e ovos."

Deitou falação, buscando provar que arreios velhos e abandonados existiam à pamparra por toda parte, e cumpria pôlos de novo em circulação, ao menos como artigo de permuta.

E tome essa cangalha de burro por duas galinhas, um barbicacho por meia dúzia de ovos, me dá esse cabresto que já te trago um garnisé. Que fazer com tanto arreio usado, se não prestava mais? — era o que lhe perguntavam. Ao que Viramundo respondia:

— Apenas movimentar. Tornar a trocar por mais aves e ovos.

O candidato oficial, um velho professor de nome Praxedes Borba Gato, natural ninguém sabia de onde, homem sisudo que arrotava sabenças mas cujo nome se deslustrava na condição de pau-mandado do Governador Ladisbão, começou a ficar apreensivo com aquela situação. Não podia deixar de tomar conhecimento da pândega que empolgava toda a cidade, e, numa de suas manifestações públicas, que em geral eram bem privadas, verberou a atitude das duas correntes políticas locais: tradicionalmente inimigas, nunca se entenderam em coisa nenhuma, e agora se coligavam num verdadeiro acinte ao governo, em torno de um pseudocandidato, que não passava de um pobre-diabo, ignorante, lambão e beldroegas.

Viramundo, que prosseguia inflamado na sua jornada cívica, realizando alternadamente seus comícios ora para uma, ora para outra das duas forças antagônicas que o apoiavam, trepou nas tamancas ao saber que o adversário o chamara de ignorante. E através de alguns elementos vezeiros no leva e traz, que em Minas abundam, atirou-lhe a luva do desafio para um debate em praça pública, que se constituiria em verdadeiro duelo de conhecimentos.

Para surpresa de todos, o professor Praxedes Borba Gato aceitou enfrentar o grande mentecapto, mas impondo suas próprias condições: a liça teria de obedecer a estrito regulamento por ele próprio elaborado. Na realidade, homem matreiro e suspicaz como bom político mineiro, via no debate excelente ocasião de acabar com aquela patuscada que os inimigos da ordem e do progresso haviam inventado. Tinha lá suas letras, estava certo de se sair tão bem quanto Panurge ao derrotar o clérigo inglês.

O confronto foi marcado para um domingo no Largo da Matriz, depois da missa das dez, em palanque adrede armado para esse fim. Chegado o grande dia, desde as primeiras horas da manhã enorme multidão se comprimia em frente à plataforma enfeitada de bandeirolas, onde os dois adversários iriam à porfia no terreno do conhecimento e do saber. Depois de assistir à Santa Missa, acompanhado de seu numeroso séquito, que a essa altura congregava todos os mendigos, vagabundos e tipos populares da cidade, Viramundo, o primeiro a chegar, subiu ao tablado de madeira sob o estrugir de aplausos e o espocar de foguetes. Em pouco o professor Borba Gato, com seu terno preto, subia penosamente os degraus de madeira e adentrava o local do embate, seguido de um troço de soldados que trouxera para sua proteção, comandados por um tenente.

Os dois adversários cumprimentaram-se com uma cerimoniosa reverência, e foram cada um para seu canto. Jovino, um mulato inzoneiro que dava a vida por um desaguisado daquele gênero e que, sendo locutor da rádio local, fora um dos que mais insuflaram o ânimo da população em favor do movimento viramundista, funcionaria como mestre de cerimônias.

Começou ele por pedir silêncio e comunicar ao público as condições impostas pelo candidato oficial, aceitas de imediato pelo candidato das oposições coligadas. Transformado em regulamento que ambos prometiam acatar, resumiam-se em estabelecer que cada um teria o direito de propor alternadamente cinco questões ao antagonista, com a prerrogativa de uma contra-arguição sobre o mesmo assunto. A proposição e resolução de questões mais complexas poderia fazer-se por escrito, utilizando-se o quadro-negro ali colocado para esse fim, à vista de todos. O julgamento ficaria por conta do desiderato popular, por aclamação, em respeito à soberana vontade do povo. Com isso procurava o professor Praxedes Borba Gato revestir de certo cunho democrático o futuro sufrágio compulsório de seu nome nas urnas. Ficou decidido também que cada candidato poderia falar o tempo que quisesse, mas marcaria ponto em seu favor aquele que desse as respostas certas em menos palavras.

Depois de apresentar os disputantes, e tendo o nobre senso de equidade de proclamar também as qualidades do candidato oficial, atitude que o povo não soube compreender pois foi recebida com vaias, o mestre de cerimônias Jovino deu início à contenda. Coube por sorteio (cara ou coroa) ao professor Borba Gato começar. Antes de formular a primeira questão, este perguntou com ar de displicente superioridade ao adversário:

— Em que língua quereis que vos fale?

Viramundo, a quem aborreciam os idiomas estrangeiros, a começar pelo latim, e que preconizava o advento de uma compreensão entre os homens como a que houvera antes de Babel, respondeu:

— Na última flor do Lácio inculta e bela.

Então o professor, limpando a garganta e alçando a voz num tremelique de belo efeito oratório, deu início à contenda:

— O que é que quanto mais se tira, maior fica?

— Buraco — respondeu Viramundo prontamente.

A assistência aplaudiu, entusiasmada. Ponto para Viramundo. Este perguntou, por sua vez:

— O que é que, quanto maior, menos se vê?

— Eu diria que é a ignorância de certas pessoas... — Praxedes Borba Gato sorriu, fazendo uma pausa para aumentar a expectativa e desfechou, triunfante: — Mas digo que é a escuridão!

Ponto para o professor, que voltou à carga:

— O que é que vai daqui a Belo Horizonte sem sair do lugar?

— A estrada — respondeu Viramundo, ganhando mais um ponto. E foi logo perguntando: — Qual o animal que come com o rabo?

O professor vacilou pela primeira vez, passando a mão no rosto, pensativo:

— Elefante?

Seu adversário contestou:

— Todos. Nenhum tira o rabo para comer.

O candidato oficial sentiu que tinha diante de si um adversário respeitável.

— Por que cachorro entra na igreja? — perguntou, alto e bom som.

— Porque encontra a porta aberta — respondeu Viramundo sem pestanejar. E contra-atacou: — Por que sai?

— Porque encontra a porta aberta — tornou o professor, com ar desdenhoso diante do óbvio.

— Não senhor — fulminou Viramundo. — Sai, porque entrou.

Os aplausos estouraram, dando insofismavelmente a vitória a Viramundo até ali. O professor não se deixou abalar:

— Qual é o nome do pai do filho de Zebedeu?

— Zebedeu — respondeu Viramundo.

— Zebedeu não tinha filhos — replicou o professor.

Esta sofismática contestação, sem nenhum fundamento lógico ou histórico, foi seguida de uma grande assuada do público, o que valia por uma aclamação a Viramundo. A patuleia, sem maior discernimento, queria divertir-se ao máximo com a contenda e tudo servia como diversão.

Cabia a Viramundo interpelar o adversário. O grande mentecapto foi desfechando logo:

— De que cor era o cavalo branco de Napoleão?

— Branco, é claro — respondeu o professor com um sorriso escarninho.

Viramundo pagou-lhe na mesma moeda:

— Napoleão não andava a cavalo. Sofria de hemorroidas.

A esta altura Praxedes Borba Gato via perigar a sua superioridade diante do contendor. O mequetrefe estava lhe saindo melhor do que a encomenda. Não podia correr o risco de uma derrota naquela aventura em que se tinha metido, confiante em sua alta prosopopeia, sem ao menos o beneplácito do Governador Ladisbão, a quem se dispensara de consultar, tão certo estava da vitória. Enquanto se perdia nestas cismas, olhando distraidamente o tenente da escolta que o acompanhava, ocorreu-lhe de súbito uma saída para a alhada em que já se via metido. Chamou então o oficial e cochichou-lhe qualquer coisa ao ouvido. Depois voltou-se para o adversário:

— Duas pessoas se encontraram no escuro e uma disse: Boa noite, meu filho. Ao que o outro respondeu: Boa noite, meu pai. Tornou o primeiro: Você é meu filho, mas eu não sou seu pai. O que era?

— A mãe — liquidou Viramundo. — O outro era o filho da mãe.

Enquanto o público explodia em aplausos, propôs a sua última questão:

— Nabucodonosor, Rei da Babilônia. Escreva isto com quatro letras.

O professor meditou um pouco e dirigiu-se ao quadro--negro, pôs-se a escrever várias letras a esmo. Acabou desistindo:

— É impossível.

Viramundo avançou, tomou do giz e escreveu rapidamente na lousa: I-S-T-O.

Foi uma consagração. O povo aplaudia freneticamente o grande mentecapto, enquanto o locutor Jovino proclamava a sua vitória. Quando o Comandante da escolta se acercou dele, todos julgaram ser para cumprimentá-lo, numa louvável atitude que foi saudada com aplausos.

— Você já foi conscrito? — perguntou-lhe o militar.

— Não. Fui só batizado e crismado — respondeu o mentecapto.

— Serviu em corpo de tropa?

— Não. Quando eu era menino queria ser da tropa dos escoteiros, mas meu pai não deixou.

— Então você é insubmisso. Esteja preso.

Convocou seus comandados com um gesto e estes cercaram o grande mentecapto, que assim foi retirado do palanque sob delirantes aplausos da multidão, como se estivesse sendo escoltado em triunfo.

No mesmo dia, sob guarda de dois praças, foi metido num trem e levado para Juiz de Fora, sede da região militar, para integrar o glorioso Exército de Caxias e assim cumprir seu dever para com a pátria.

CAPÍTULO V

Das mirabolantes aventuras de Viramundo no Esquadrão de Cavalaria em Juiz de Fora e das suas façanhas durante as manobras militares, que acabaram por devolvê-lo à vida civil.

O COMANDANTE do 4º Esquadrão do 4º Regimento de Cavalaria da 4ª Região Militar, Capitão Batatinhas, assim carinhosamente chamado pelos soldados mercê de duas pequenas protuberâncias na extremidade de seu apêndice nasal, tomou-se de interesse por aquele novo recruta que lhe haviam mandado, o qual tinha sentado praça por força de lei. Engajara-o no 4º Pelotão, sob o comando do Tenente Fritas, assim conhecido por ser visto sempre junto com o Batatinhas, sendo Freitas seu verdadeiro nome.

Não foi difícil ao Capitão perceber logo aos primeiros dias que não se tratava de um soldado qualquer, mas de um cidadão dotado de excepcionais atributos. Ficou impressionado com seu aspecto físico (o qual era indescritível, de modo que me abstenho de descrevê-lo, deixando tal pormenor por conta da imaginação dos leitores, já que meu trabalho pretende ser uma obra aberta, nos mais modernos moldes ecológicos, ou seja, defendidos por Umberto Eco). O Comandante achou-o com mais predisposição para ser cavalgado do que cavalgar, e em vez de mandá-lo com os outros recrutas montar a cavalo no picadeiro, mandou-o que fosse lavar cavalos no pavilhão de baias.

Em pouco o Tenente Fritas se apresentava na sala de comando:

— Capitão, o novo cavalariço que o senhor me mandou... Bem, ele tem um comportamento meio estranho.

— Estranho como?

— Em vez de lavar os cavalos, está de conversa com eles.

— De conversa com eles? — o Capitão Batatinhas não conseguia entender.

— Isso mesmo. Pelo menos com um deles. Está lá numa conversa animada com o Bunda Mole.

— Bunda Mole? Mas que diabo...

— Aquele cavalo tordilho que o senhor costumava montar. A soldadesca chama ele de Bunda Mole porque é muito manso. Ele é que estava falando com o cavalariço.

— Falando com o cavalariço? Que bobagem é essa, Fritas? Você ficou maluco? — e o Capitão Batatinhas, precavidamente, mudou de atitude para com seu subordinado: — Mais respeito comigo, tenente. Não estou aqui para brincadeiras. Onde é que você já viu cavalo falar?

— Lá no pavilhão de baias, agorinha mesmo. Última baia à direita. Se o senhor vier comigo, vai ver o Bunda Mole de papo com o Viramundo.

— Bunda Mole... Viramundo... — Irritado, o Comandante pôs-se a andar de um lado para outro. — Diga ao cavalariço que se apresente imediatamente.

Dentro em pouco o novo soldado punha a cara na porta:

— O senhor quer falar comigo, doutor?

— Doutor? — O Capitão se ergueu, afrontado. — É assim que o senhor trata o seu Comandante? A cavalaria pode ser avacalhada, mas não a esse ponto! Vamos, enquadre-se! Perfile-se!

Assustado, o recruta bateu os pés e perfilou-se.

— Continência! Fique de continência!

O recruta ficou de continência. O Capitão, mais calmo, soltou um suspiro.

— Pronto, agora à vontade. Vamos conversar. O tenente me disse que um cavalo... Bem, que você estava de conversa com um cavalo.

— O senhor desculpe, Seu Comandante, mas eu não sabia que era proibido conversar — respondeu o recruta.

— Conversar pode, mas não com cavalo. Onde já se viu?

— Eu não estava conversando não senhor. O cavalo é que me falou que estava com fome e então eu pedi licença ao tenente para dar a ele um pouco de alfafa.

— O cavalo "te falou" que estava com fome? Você está querendo me dizer que esse cavalo fala como gente?

— Bem, como gente eu não diria. Embora seja muito bem-educado. Fala, mas como cavalo mesmo.

O Capitão ficou a olhá-lo, perplexo.

— Vamos lá nas baias — decidiu, num rompante, e saiu, seguido do novo cavalariço.

No caminho arrebanhou o tenente:

— Fritas, venha comigo. Se esse soldado está de brincadeira com a gente, prisão nele, visto?

Foram os três até o pavilhão, última baia à direita.

O soldado se aproximou do tordilho, passou-lhe a mão pelo pescoço. O cavalo pôs-se a relinchar.

— Ele está falando com o senhor, Comandante.

— Falando comigo? — assustou-se o Capitão. — Como assim? Falando o quê?

— Ele está pedindo ao senhor para não deixar que os soldados continuem a chamá-lo de Bunda Mole.

O Capitão Batatinhas voltou-se para o Tenente Fritas:

— Tenente, você ouviu esse cavalo falar alguma coisa?

O tenente, sem jeito, baixou a cabeça:

— Bem, Capitão, parece que foi isso mesmo que ele falou.

O Capitão, olhos estatelados, fitava ora um, ora outro. Depois olhou fixamente o cavalo e fez meia-volta, batendo em retirada.

O incidente ficou nisso. Mas alguns dias depois o Capitão convocou o cavalariço à sala de comando. Este se apresentou de continência e tudo, de acordo com o que tinha aprendido.

— À vontade. Precisamos conversar.

E pôs-se a andar de um lado para outro, nervoso, sem saber como começar.

— Bem, Viramundo... É esse o seu nome, não?

— Eu me chamo José Geraldo Peres da Nóbrega e Silva, meu Comandante!

— José o quê? Muito comprido isso, vai ficar sendo Viramundo mesmo. Escuta, Viramundo, eu preciso que você cumpra para mim uma missão especial e secreta.

— Pois não, meu Comandante.

— Eu preciso que você... — o Capitão procurava como dizer. — Bem, trate de saber para mim quem é que o Tenente Fritas traz para passear com ele a cavalo nas folgas de domingo. É só isso. E não diga a ninguém, visto? A ninguém. Só a mim.

Viramundo o olhava sem entender:

112

— O Comandante que me perdoe, mas como poderei saber...

— Sabendo — cortou o Capitão. — Perguntando. Só não me pergunte ao Fritas. E nem a mais ninguém. Mesmo porque na folga de domingo não tem ninguém que possa saber.

— Perguntar a quem, então? — insistiu Viramundo.

O Capitão olhou-o nos olhos em silêncio e respirou fundo, tomando coragem para responder:

— Pergunte àquele cavalo.

E, encabulado, voltou-lhe as costas, antes de ordenar:

— É só. Pode retirar-se.

No domingo, Viramundo, depois do almoço, ou seja, depois de comer num botequim um metro de linguiça frita e tomar uma garrafa de cerveja Weiss, não tendo o que fazer nem aonde ir, estava zanzando nas proximidades do quartel, quando viu o Tenente Fritas passar a cavalo em companhia de uma jovem graciosa e louçã, montada justamente no tordilho.

Na segunda-feira o mentecapto se apresentava ao Comandante, batendo continência:

— Pronto, meu Comandante. Missão cumprida.

O Comandante ergueu-se interessado:

— Qual é o nome da pessoa?

— O nome eu não consegui apurar. Mas é uma donzela morena, de olhos verdes e de tranças.

O Capitão, olhos parados no ar, sacudia a cabeça, pensativo: morena, de olhos verdes e de tranças. Como desconfiava, era justamente aquela por quem mantinha uma secreta e não correspondida paixão. Viramundo acrescentou:

— Ela saiu montada no próprio tordilho. E monta bem, com graça e donaire.

— Com graça e donaire... — O Capitão continuava pensativo, mas logo caiu em si: — Bem, Viramundo, pode retirar-se. Quanto a esse cavalo... Não diga mais nada a ele. E nem a mais ninguém.

Desde então o Soldado Viramundo passou a merecer do seu Comandante uma consideração especial. E naquele mesmo dia o Capitão Batatinhas mandou chamar o Tenente Fritas, ordenando:

— A partir de hoje, fica terminantemente proibido qualquer soldado chamar o tordilho de Bunda Mole.

N A SUA CURTA TEMPORADA como soldado (se digo curta, embora lhe parecesse longa, é que extraordinários acontecimentos nos quais se viu envolvido, e que serão para mim reportados oportunamente, deram com o grande mentecapto no olho da rua, devolvido à vida civil mais cedo do que esperava),[*] Viramundo aprendeu a lavar cavalo, encilhar cavalo, raspar cavalo, aparar crina e rabo de cavalo, montar a cavalo, fazer terra-cavalo e fazer trincheira no chão a cavá-lo. Aprendeu a cantar o Hino Nacional (só a primeira parte) e o Hino da Cavalaria:

Nós somos da Cavalaria!
Que é a sentinela avançada
Da pátria mãe que em nós confia
Pra não viver eternamente avacalhada!

---

*Se algum leitor acaso está achando longos os meus períodos e parênteses, que me perdoe, mas é porque o que tenho a dizer não cabe em orações curtas e bem-comportadas, e transcende, como em Euclides da Cunha, todas as regras de estilo recomendadas por Antônio Albalat. (*N. do A.*)

Só não aprendeu a fazer ordem-unida. No pelotão de recrutas em evoluções no pátio, sob as ordens do Sargento Baldonedo, um homem corpulento e de maus bofes como deve ser todo sargento, um! dois! um! dois! direita... vooolver!, Viramundo virava à esquerda, pelotão para um lado e ele para outro, em pouco dava de cara no mourão do alambrado. Na meia-volta, fazia um rodopio pelo lado errado, perdia o equilíbrio e se destrambelhava contra os demais, atrapalhando a formação do pelotão inteiro. O Sargento Baldonedo acabou desistindo e mandou-o de volta à estrebaria, resmungando:

— Esse Viramundo é dose pra cavalo.

Dispensado dos exercícios, Viramundo passava o tempo sentado nos travões da cerca, vendo os outros recrutas praticar volteio e trabalhar os cavalos, ou os oficiais nos treinos de adestramento e salto de obstáculos, entre comentários de um e outro:

— Bate as pernas, animal!

— Vai refugar! Olha: refugou.

— Larga a patilha, sua besta!

Depois ia quentar sol no pátio de manobras àquela hora deserto, a acompanhar o voo dos urubus evoluindo no azul do céu, aquela doce modorra mineira — até que um toque de corneta convocava os oficiais para o rancho:

Parasita da nação!
Batatinha tá na mesa!

De tempos em tempos era o toque de revista que sacudia o quartel, pondo a tropa em polvorosa:

Catita, catita, cadê meu chapéu?
Tá na cabeça do coronel...

E o Comandante da Região, General Jupiapira Balcemão, surgia para dar uma incerta no Esquadrão de Cavalaria. Hasteava-se às pressas a bandeira que anunciava sua presença, soava o toque de corneta a ele reservado, o oficial de dia vinha correndo apresentar-se, o Comandante o recebia com as honras de estilo, a oficialidade toda formada. O General entrava, olhava tudo e saía como entrara, carregando solenemente a barriga.

Assim transcorria a vida militar de Viramundo, sem que o grande mentecapto chegasse a entender a finalidade de toda aquela presepada. Às vezes se distraía recitando o famoso soneto do poeta-soldado Jésu de Miranda, que também já morara em Juiz de Fora, como ele próprio afirma:

Nasci em Guaxupé, no sul de Minas!
Criado em Juiz de Fora, entre a gentalha,
Abracei, tanto o bom, como o canalha,
E amei, da mulher santa às messalinas!

Como soldado em campo de batalha,
Lutando pelos montes e campinas,
Ora nos bosques, ora nas colinas
Batidas pelo fogo da metralha,

Demonstrei o maior patriotismo,
Quando em perigo a impávida Nação!
Cumprindo o meu dever com heroísmo,

Na vida militar, cheguei a alferes!
E foi no mundo a minha diversão:
— Briga de galos, versos e mulheres!...

Se na vida militar não chegou a alferes, cedo Viramundo revelaria no campo de batalha, lutando pelos montes e campinas, ora nos bosques, ora nas colinas, o mesmo acendrado patriotismo do poeta de *Veritas, Veritatis.*

Um dia estava o grande mentecapto distraidamente a polir o ferro de uns arreios por ordem do Sargento Baldonedo, quando o Capitão Batatinhas mandou chamá-lo:

— Preciso que você me cumpra outra missão secreta. Saber onde é que o Tenente Fritas no domingo passado levou a moça naquele cavalo.

E advertiu:

— Mas olha lá, hein? Isso fica só entre nós e o cavalo. Não diga para ninguém, visto?

Já o havia proibido de falar no assunto com quem quer que fosse, e mesmo de conversar com o cavalo, a não ser por necessidade de serviço, isto é, por exclusiva ordem sua:

— Se uma notícia dessa se espalha, já pensou o que isto aqui vai virar? Vem gente de toda parte do mundo!

O Comandante do 4º Esquadrão de Cavalaria deixava para anunciar ao mundo o extraordinário fenômeno no seu devido tempo. Por ora tinha primeiro de tirar a limpo umas tantas dúvidas sobre o Fritas e a moça de tranças.

Com efeito, o tenente, quando saía nos dias de folga a passear pela Rua Halfeld com seu bigodinho de Ramon Novarro e o quepe meio de lado em lugar do bibico de instrução, era o que se podia chamar de um tenente sedutor. Realmente, vinha ele arrastando a asa para a menina dos olhos do Capitão. Mas as disputas amorosas entre o Batatinhas e o Fritas nada têm a ver com este relato, senão na medida em que delas Viramundo vinha a contragosto participando, como alcoviteiro de um deles — papel incompatível com o caráter sem jaça de nosso herói. Além do mais, o Capitão era casado, de modo que não tinha nada que cobiçar a namorada do tenente, fosse ela realmente formosa, tivesse os olhos verdes, usasse tranças e montasse com graça e donaire, como dissera Viramundo. Por isso é de muito bom grado que deixo daqui por diante de fazer qualquer referência a este fato, senão para reportar-me às funestas consequências que a bisbilhotice do Capitão acarretou para o esquadrão sob seu comando.

Em pouco tempo Viramundo deu cabo de sua missão, vindo informar:

— O tordilho não saiu da baia no domingo passado.

O Capitão, pensativo, coçou o queixo, e falou para si mesmo:

— Então ela saiu montada noutro. É capaz do Fritas ter desconfiado. Ou será mentira daquele cavalo?

VIRAMUNDO FICARA muito pesaroso com a proibição de conversar com o tordilho. Era o seu único amigo no quartel. Os soldados não o levavam a sério e o tratavam com zombarias e remoques, quando não com desdém. Os sargentos estavam muito ocupados com as suas sargentadas para se preocupar com ele; e a oficialidade, esta vivia metida lá no cassino, conversando entre si e coçando o saco (expressão que me permito usar aqui sem nenhuma conotação pejorativa, pois no caso não se trata de sentido figurado, referindo-se, antes, a hábito bastante peculiar e característico de cavalarianos). Assim não restava a Viramundo senão o cavalo tordilho para lhe fazer companhia nas horas vadias do quartel, e eram quase todas. Mas não ousava desobedecer a ordem do Comandante, pois fatalmente seria visto e disto ele logo teria conhecimento.

Foi então que o grande mentecapto arquitetou um plano de levar ao seu amigo, o cavalo Bunda Mole, a mágoa que lhe enchia o peito. À noite, quando todos dormiam, deixou de mansinho a cama do dormitório do 4º Pelotão, escafedeu-se em silêncio e foi para o pavilhão de baias. Depois de dar ao tordilho um torrão de açúcar, passou-lhe o bridão e montou mesmo sem sela, como já aprendera a fazer. Para ganhar o terreno baldio aos fundos do quartel e, além dele, o campo aberto, tinha de passar pela guarita onde dormia a sentinela e atravessar o curral onde dormia a cavalhada, pois as baias, em número reduzido, eram destinadas apenas à montaria dos oficiais.

Viramundo assim fez. Tendo passado a porteira do curral, estimulou o cavalo, saindo a galope pela várzea. Já a distância respeitável do quartel, reduziu a andadura, pôs-se a conversar com o animal:

— O Capitão Batatinhas me proibiu de falar com você, a não ser quando ele mandar. E ele só quer mandar, para que você dê notícia da namorada do Tenente.

O cavalo relinchou.

— Eu sei que da última vez ela não saiu com você — respondeu o mentecapto.

O cavalo tornou a relinchar

— Como fiquei sabendo? Por acaso: o Sargento Baldonedo me contou que tem mais de uma semana que você não sai da baia.

119

Ficou calado, até que o cavalo relinchasse outra vez.

— Também acho — respondeu. — Também não estou gostando nada disso. Sou como você, não gosto de me meter na vida alheia. Vamos mudar de assunto.

E assim, cavalgando o seu amigo pelos campos e vergéis, o grande mentecapto, sob a luz do luar, passou grande parte da noite entretido em conversar com o cavalo da sua loucura.

E tão entretido estava que, de regresso ao quartel, só quando se viu na cama estranhou que a cavalhada estivesse quieta naquela noite lá no curral. Os animais não se escoiceavam, nem se mordiam, nem relinchavam como nas outras noites. Sem dar maior importância ao fato, adormeceu, pouco antes que a corneta estraçalhasse o ar com o toque de alvorada:

Ai, meu Deus,
Que vida esta minha!
Se deito, não durmo,
Plantão me aporrinha!

O que ocorreu então ficou registrado para sempre como um dos acontecimentos mais bizarros na história da cidade. Em pouco começavam os telefonemas para o quartel:

— Tem um cavalo solto aqui na rua, em frente ao Foro.

— Tem cinco cavalos galopando pela estrada em direção a Santos Dumont, pra lá de Benfica.

— Aqui no curral da Prefeitura já tem mais de dez cavalos do esquadrão recolhidos na rua.

Viramundo, ao voltar do passeio noturno com seu amigo, tão enleado estava que se esquecera de fechar a porteira do curral. Os cavalos, um a um, deslizaram mansamente para fora, fugiram todos, e eram mais de cem. Tinha cavalo solto pela cidade de Juiz de Fora inteira, e adjacências. Em pouco o Comandante chegava, furibundo:

— Quem foi o miserável... Quedê o oficial de dia?

Convocou a oficialidade toda, mandou abrir sindicância:

— Quem estava de sentinela?

E o telefone a tocar:

— Interurbano. De Matias Barbosa. Já tem cavalo até lá.

— E como é que a gente vai fazer pra recolher todos?

A impressão era de que a cavalhada se espalhara até os extremos limites de Minas Gerais.

Depois de tomar as necessárias providências, o que quer dizer, depois de dar ordens a esmo que não conduziriam absolutamente a nenhum resultado, o Capitão despachou os oficiais e se deixou cair na poltrona, derrotado. Então se lembrou de convocar Viramundo, e pediu-lhe em segredo:

— Você seria capaz de descobrir quem foi o filho da puta que me abriu aquela porteira... Talvez o tordilho saiba.

AS MANOBRAS MILITARES em Minas Gerais naquele ano marcaram época. Nesta, sim, terei de me imiscuir, pois a participação do praça de pré Geraldo Viramundo foi decisiva para o inesperado desfecho que elas tiveram.

Estavam em guerra os exércitos Azul e Vermelho. Participavam soldados dos regimentos de infantaria de São João del Rei e de Belo Horizonte, outro de artilharia não sei de onde, e até o Batalhão de Caçadores da Bahia, o qual, não sendo de

Minas Gerais, melhor andaria não participando dessa guerra, para que não tivesse o fim que nela teve. O 4º Esquadrão de Cavalaria de Juiz de Fora, subordinado ao Exército Azul, e que interessa à nossa história, iria juntar-se ao seu regimento, que partiria de Três Corações, onde era sediado.

E mais não digo, pois não me perderei em detalhes de estratégia militar em que me confesso pouco versado, os quais em nada enriquecerão o meu relato; além do que, não entenderia eu mesmo, e o leitor muito menos, aquilo que nem os próprios militares na época chegaram a entender. Tentasse eu descrever com precisão histórica todos os lances das manobras, e me sentiria perdido como Fabrice del Dongo na batalha de Waterloo. Muito trabalho já me custou recolher depoimentos de veteranos de guerra e antigos moradores dos locais onde se travaram as batalhas, que me permitissem reconstituir a participação de Viramundo naquela guerra incruenta e sem quartel, que se não chegou a manchar de sangue o solo de Minas, marcou indelevelmente a sua história com o ferrete do heroísmo e da glória, graças à bravura do nosso mentecapto. Quisera, para poder narrar as cenas épicas por ele vividas no campo de luta, o gênio de um Tolstoi, que, com muito menos, recriou em páginas imortais as façanhas de Pedro Besukov na batalha de Borodino!

O Esquadrão de Cavalaria estava acampado no Chapadão do Bugre, às margens do riacho do Pau Mério, perto de uma localidade denominada Vila dos Confins, e acreditando achar-se às margens do São Francisco e perto de Pirapora. A aviação inimiga não lhe dava tréguas, em sucessivos ataques aéreos:

— Atenção! Bombardeiros à vista!

Todos corriam para as barracas camufladas com ramos de árvores. Não havia cavalos: os cavalarianos que se arranjassem a pé. Tinham sido transportados até ali em caminhões de campanha, enquanto os animais, embarcados na estaçãozinha de Mariano Procópio, que era perto do quartel, seguiam de trem, para encontrá-los no caminho, e até aquele momento ninguém sabia onde o trem fora parar.

O bombardeiro inimigo, um teco-teco do Aeroclube de São João del Rei, deixava cair meia dúzia de bombas de efeito moral, que vinham a ser sacos de papel cheios de cal viva. A bateria antiaérea, comandada pelo aspirante Helvécio, abria fogo com tiros de festim, e o aviãozinho sumia no horizonte. Passado o perigo, o aspirante se apresentava, dando conta de sua missão:

— Inimigo neutralizado, Comandante.

— Abatido? — perguntava o Capitão, muito sério.

— Quem, eu?

— O avião, sua besta.

O Capitão Batatinhas, irritado, descobria que o inimigo acertara em cheio uma bomba de cal na carroça de cozinha, exatamente dentro do caldeirão de feijão. Naquele dia ficariam sem almoço — com exceção do pessoal da bateria antiaérea, que, inconformado, foi à caça, matou um tatu e comeu. Não há tatu que aguente.

Depois houve a carga de cavalaria planejada pelo Comandante para desalojar uma unidade inimiga que se plantara atrás do morro. Para isso teriam de descer outro morro e atravessar um vale. Carga de cavalaria a pé era manobra militar de difícil concepção, mas perfeitamente compatível com a imaginação criadora do grande mentecapto Geraldo Viramundo. Metido em tudo aquilo sem entender exatamente o que se passava, pediu licença durante as instruções para perguntar se o ataque seria a sabre, lança, espada, florete, gládio, adaga, alfanje ou cimitarra. E muniu-se de um rebenque, que, na sua fértil inventiva, faria o papel de todas essas armas.

Desencadeado o ataque, a soldadesca progredindo de rastros pelo terreno, de acordo com o regulamento, eis que Viramundo se despenha desembestado morro abaixo, como se estivesse debaixo de bala num cavalo a galope, e, brandindo seu rebenque, investe contra um rebanho de cabras que pastava bucolicamente nas fraldas do outeiro, julgando tratar-se de tropa inimiga. E o fez de maneira tão quixotesca que, para fielmente descrever o que se passou, terei de fazê-lo em espanhol:

Las cabras huían sin rumbo, ganando el campo, a los berridos y enloquecidas, pues el gran mentecato repartía rebencazos a troche y monche como si pretendiese aniquilar a todo un ejército. Entreverávanse entre las piernas de los soldados, perturbando su embestida y echando a perder toda la estrategia que el Capitán Papitas había planeado en detalle. El mismo, desesperado, erguíase en la cumbre de la colina, equilibrando sus anteojos de larga vista. Barajaba la hipótesis de que una bala imaginaria del enemigo pudiese cogerle de sorpresa. Y sus gritos estridentes rebotavan en la llanura:

— Sujetad a ese loco! Liquidádlo antes que él me embadurne la guerra!

Extenuado, después de haber dado fuga al rebaño que se desparramaba por el valle, Viramundo detúvose, jadeando, y alzó la mirada con aire arrogante, con la certeza de que recogería los laureles de la victoria. Mientras tanto el Sargento Baldonedo, cumpliendo religiosamente las órdenes del Comandante, consiguió alcanzarle y aplicóle un tremendo puñetazo, arrojándole al suelo, desfallecido. *

À NOITE A TROPA recebeu ordem de deslocar-se para fazer frente ao inimigo — ou para dele escapar, não ficou bem claro. O inimigo estava em toda parte e em lugar nenhum.

O Esquadrão de Cavalaria prosseguia a pé, no escuro, engavetando-se num batalhão de artilharia que, desnorteado, não sabia se estava indo ou voltando. Descobriu-se que se tratava de unidade do Exército Vermelho buscando posição para travar combate. Os comandantes se desentendiam:

— Suma com sua tropa! Tudo junto assim não é possível. Vocês são inimigos, acabo prendendo todo mundo.

— Então prende! É um favor que você me faz.

Chovia e a estrada, completamente congestionada de tropas, já se cobria de lama. Um pesado canhão, puxado por uma parelha de muares, havia errado a direção de uma ponte e des-

---

*Para os leitores menos versados no idioma de Don Miguel, apresento abaixo a versão para o português, realizada a meu pedido pela insigne tradutora Senhora Werneck de Castro, a quem apresento os meus efusivos agradecimentos:

As cabras fugiam para todo lado, berrando doidamente, sob os golpes de rebenque que o grande mentecapto distribuía a torto e a direito como se dizimasse um exército inteiro. Misturavam-se aos soldados em grande confusão, perturbando seu avanço e pondo a perder toda a estratégia planejada pelo Capitão Batatinhas. Este, desesperado, erguia-se no alto do morro com seu binóculo, sob o risco de levar um tiro imaginário do inimigo, e berrava a plenos pulmões:

— Segurem esse maluco! Acabem com ele antes que me avacalhe a guerra!

Extenuado, depois de ter posto o rebanho em fuga pelo vale, Viramundo se deteve, ofegante, e olhou em torno com orgulho, para colher os louros da vitória. A esta altura o Sargento Baldonedo, seguindo ao pé da letra as ordens do comandante, logrou alcançá-lo e desferiu-lhe tremendo cachação, pondo-o por terra, desacordado. (*N. do A.*)

cido barranco abaixo até um córrego, e lá ficara adernado. Todos davam ordens, ninguém obedecia. Dentro da noite surgiu a cavalo um coronel da infantaria para avisar ao Comandante do Esquadrão que os Caçadores da Bahia haviam perdido o rumo, àquelas horas deviam ter ultrapassado as fronteiras de Minas Gerais e provavelmente já estariam próximos do Rio Grande do Sul. O Capitão Batatinhas disse que não tinha nada com isso, porque os Caçadores da Bahia eram inimigos — verificou-se então que o coronel a cavalo era inimigo também.

— Quer saber de uma coisa? O senhor está preso.

Prendeu-se o coronel e arrecadou-se o seu cavalo.

Em meio a tamanha balbúrdia, Geraldo Viramundo se perdeu. Quando deu por si, estava metido no mato, sozinho, sem nenhuma referência para se orientar.

Foi seguindo assim mesmo, e o dia começava a clarear, quando deu com os costados numa cidadezinha dos lados de Serras Azuis chamada Branca Bela, que de bela só tinha o nome. Pediu comida e abrigo numa casa e lá ficou alguns dias, já amigo dos moradores, um menino de oito anos chamado Niginho e uma velha coroca e banguela, Dona Filomena. Era gente boa, e a casa, embora pobre, dava para três. Geraldo Viramundo foi ficando, já a pensar em viver ali para sempre, reintegrado à vida civil e passando os seus dias a brincar com Niginho:

— Niginho, pinho, minho, demofinho, siricotinho...

— Viramundo, pundo, mundo, demofundo, siricotundo!

O garoto fazia lembrar a sua infância: também era criado solto como ele em Rio Acima, em correria pelos pastos, empinando papagaios, jogando pião e bolinhas de gude. Um dia Viramundo jogou birosca com ele — e ganhou. O grande mentecapto lembrava-se da sua coleção, que havia atirado para o ar no dia em que fizera o trem parar — e o Pingolinha, coitado, tão pequenino que ele era. Sentia saudade dos irmãos, de Dona Nina e do Boaventura, vinha-lhe uma vontade de chorar. A velha Filomena vivia resmungando pelos cantos, pitava um cachimbo fedorento, mas cozinhava bem e do pouco que havia em casa conseguia fazer milagres. Tinha um insignificante pecúlio que o marido lhe deixara, e não se cansava de falar no falecido, afirmando que homem bom era aquele, hoje em dia não se faz mais homem assim não. Niginho era um órfão que ela havia adotado. Ficara fascinado com a farda de Viramundo, e às vezes os dois saíam marchando juntos, tocando tambor com a boca, ou a cantar:

> Marcha, soldado
> Cabeça de papel
> Se não marchar direito
> Vai preso pro quartel.

Uma tarde o menino entrou em casa esbaforido, gritando:
— Evêm eles, Viramundo! Evêm eles!
A cidade foi invadida de soldados. Excitado, Viramundo saiu à rua para encontrar seus companheiros. Ao dar com ele, os soldados o cercaram, desconfiados.
— Você é vermelho ou azul? — perguntou-lhe um tenente com cara de fuinha.
A princípio Viramundo não entendeu:
— Nem uma coisa, nem outra — respondeu. — Sou branco, mas não alimento preconceito racial.
Só então se lembrou das manobras:
— Na guerra, pertenço ao Exército Azul.

— Pois então entregue-se — tornou o tenente. — Nós somos vermelhos.

E o fuinha o levou preso em meio aos seus. Niginho chorava, desesperado, vendo que ia perder o amigo. A velha Filomena rogava pragas contra os soldados. Lá foi ele, levado pelo inimigo, que viajava a pé, eram soldados da infantaria. No caminho, cruzaram com uma patrulha de sapadores, comandada pelo Cabo Tino, um soldadão gordo, suado e vermelho, que por sinal era também dos vermelhos. Aqueles seguiam em sentido contrário. O Tenente Fuinha confiou o prisioneiro ao Cabo Tino, que tentou recusá-lo, alegando ter outra missão a cumprir, mas foi obrigado a acatar a ordem superior. Na realidade os infantes não sabiam o que fazer com o prisioneiro, e os sapadores sabiam menos.

E assim, Viramundo veio voltando com eles, na esperança de regressar a Branca Bela. Ao cair da noite, acamparam à beira de um córrego. Não tinha barraca para Viramundo, e a comida era pouca. Cabo Tino foi franco com ele:

— Não podemos te matar, como gostaríamos, porque teríamos de responder a conselho de guerra. Portanto, esta noite, enquanto dormimos, trate de fugir, porque senão amanhã você vai se arrepender.

Viramundo obedeceu: alta noite, quando os soldados dormiam, ganhou a estrada, pensando em voltar para Branca Bela e se reinstalar na casa da velha Filomena, passar os dias brincando com seu amigo Niginho.

Foi quando se deu o episódio que, graças ao extraordinário patriotismo do grande mentecapto, veio acabar com a guerra, praticamente antes de ter ela começado.

Para bom entendimento do que aconteceu, terei de apresentar adiante alguns esclarecimentos sobre certas pragmáticas militares.

DESDE OS TEMPOS mais remotos, qualquer luta armada entre Estados começa, como se sabe, por uma declaração de guerra ou ultimato, e termina por um armistício que encerra as hostilidades, sacramentado através de um termo de rendição, seguido de um tratado de paz. Em guerras como a que se travava na Província de Minas Gerais naquela fase crucial da história de nossa terra, os entendimentos em torno do conflito geralmente são feitos através de documentos preparados com a devida antecedência, tanto os que se referem à declaração de beligerância como os termos de rendição. Estes últimos são sempre dois, cada um firmado por uma das partes em conflito, reconhecendo sua derrota ante a outra. Tais documentos ficam em poder do Estado-Maior, que decidirá ao fim da guerra qual a facção vitoriosa.

Pois naquela noite era o próprio Estado-Maior que seguia pela estrada num automóvel dirigido pelo Sargento Ubirajara, tendo à boleia o Major Sequinho, ajudante de ordens, e refestelados no banco traseiro, nada menos que três generais: o General Passos Dias Aguiar, o General Jacinto Aquino Rego e o General H. Romeu Pinto. Levavam eles consigo uma pasta contendo preciosos documentos, entre os quais os termos de rendição firmados pelos comandantes dos dois exércitos em guerra, para fazer prevalecer um ou outro, segundo sua alta deliberação no próprio campo de batalha.

E foi esse mesmo automóvel que, seguindo de luzes apagadas como soem proceder as viaturas em tempo de guerra, atropelou um soldado que caminhava, trôpego, no meio da estrada.

Quando Viramundo abriu os olhos, pensou que estava sonhando. Viu-se a si mesmo, já dia claro, dentro de um carro em disparada, tendo de um lado um Sargento na direção, do outro um Major, e atrás de si uma trinca de generais.

— Não morreu não — dizia o Major Sequinho. — Está voltando a si.

— Depressa, para o hospital de fogo — ordenou um General.

O Sargento Ubirajara seguia o mais depressa que podia, embora não tivesse a mínima ideia de onde ficava o hospital de fogo.

— Parece que ele não sofreu grande coisa — comentou o segundo General.

Em verdade, Viramundo, já inteiramente desperto, nada sofrera ao ser atropelado, além do susto.

— Pergunte-lhe quem é ele, de onde vem e para onde vai — ordenou o terceiro General.

— Quem és? De onde vens? Para onde vais? — perguntou o Major Sequinho.

O grande mentecapto limpou a garganta para responder:

— Chamam-me de Viramundo. Quero ir para Branca Bela. Quase vou pro outro mundo quando o carro me atropela.*

---

*Por um desses insondáveis mistérios da parapsicologia, Viramundo deu resposta semelhante à de Manuel du Bocage, quando se viu diante de um salteador em Lisboa, e que lhe fez as mesmas perguntas: "Quem és? De onde vens? Para onde vais?", ao que ele respondeu:

Sou o poeta Bocage
Venho do café Nicola
Vou deste para o outro mundo
Se disparas a pistola. (N. do A.)

Os Generais se consultavam em voz baixa, sem saber se o prendiam ou o soltavam. Tinham missão mais importante a cumprir que transportar um simples soldado biruta. Em dado momento, saltaram na estrada para verter água contra um barranco, coisa que os generais também costumam fazer, e resolveram aproveitar para deixá-lo ali sem dizer água vai. O Major e o Sargento também haviam saltado, e no satisfazer igual necessidade, postaram-se a respeitável distância um do outro e ambos dos generais. Viramundo é que ficou por ali mesmo, a observá-los. A pasta com os documentos de guerra passou de um para outro General, a fim de que tivessem as mãos livres enquanto se aliviavam, e acabou nas suas mãos.

Foi quando se deu o mais extraordinário: pressurosos, ainda recolhendo os respectivos membros e fechando as braguilhas, embarcaram todos no carro e partiram numa nuvem de pó, deixando o soldado no meio da estrada com a preciosa pasta.

Viramundo tentou chamá-los, mas em vão. Então sentou-se numa pedra, abriu a pasta e, ao primeiro documento que lhe caiu sob os olhos, estes se arregalaram: era o termo de rendição do Exército Vermelho.

Não quis ver mais nada: atirou o resto para o ar e saiu pulando de alegria, empolgado por verdadeiro delírio cívico:

— Acabou a guerra! Vencemos! O inimigo se rendeu! — gritava, cheio de entusiasmo, dançando na poeira da estrada.

A partir deste ponto, os elementos de que disponho para o prosseguimento do relato são um tanto confusos. Alguns dão Viramundo como tendo regressado a Branca Bela para rever Dona Filomena e seu amigo Niginho, e só então encetando viagem até São João del Rei, daí para Juiz de Fora. Outros o levam diretamente à primeira daquelas cidades, sem esclarecer como teria chegado lá. Que esteve em São João, não há dúvida. E todos são acordes em que ali deu entrada num carro de bois, já amigo fraterno do carreiro, que lhe propiciou durante a viagem generosas porções de paçoca para matar-lhe a fome. O certo é que se tivesse feito todo o percurso em carro de boi, teria levado alguns anos para chegar a qualquer lugar civilizado. Consta que, fosse qual fosse o meio de transporte de que se utilizou até São João, foi encontrando pelo caminho as terríveis marcas da guerra que havia assolado a região: soldados desgarrados da tropa, veículos enguiçados ou sem combustível, armas abandonadas, por todo lado tristeza e desolação. Não havia como penetrar o seu entendimento conturbado o fato de que pelo menos a tristeza e a desolação eram parte integrante da paisagem mineira, mesmo em tempos de paz. O grande mentecapto ia anunciando de passagem, aos berros, para os ouvidos indiferentes dos lavradores que encontrava pelo caminho:

— A guerra acabou! A guerra acabou!

E é certo que tenha comido paçoca na estrada, pois, ao chegar a São João del Rei, precipitou-se até o balcão do primeiro bar que encontrou e pediu uma garrafa d'água, a qual bebeu inteira pelo gargalo, para desentupir a garganta. Estava nisso, quando deu com a fisionomia familiar de um tenente de infantaria a observá-lo, curioso:

— Viramundo! — exclamou finalmente o oficial.

Logo o reconheceu, pois se não era outro senão o estudante Dionísio, de Ouro Preto!

— Como estou feliz em revê-lo! Você agora é soldado? — e Dionísio abriu os braços para abraçá-lo. Viramundo se esquivou delicadamente:

— Também estou feliz em revê-lo, Tenente, mas respeito a hierarquia.

E perfilando-se, fez-lhe a devida continência. Depois mostrou-lhe com orgulho o documento de que era portador:

— Não preciso mais perguntar se o senhor é azul ou vermelho, para saber se somos amigos ou inimigos. A guerra acabou!

O estudante Dionísio não era azul nem vermelho. Oficial da reserva, fora convocado para a ativa, e estava servindo em São João del Rei. Conseguira ser dispensado das manobras, pois não queria nada com a guerra, e se limitava a voar como observador num teco-teco do aeroclube local, acompanhando as evoluções dos pobres-diabos lá embaixo, às vezes lhes atirando mesmo um saco de cal à guisa de bomba, para dar mais realismo aos combates. Fora ele, sem dúvida, o responsável pela bomba que havia caído no caldeirão de feijão.

Ao ver o documento que Viramundo lhe exibia, já todo amassado e cheio de manchas, não precisou de lê-lo na íntegra para compor uma expressão de entusiasmo:

— Rendição dos vermelhos! Mas isto é importantíssimo! Tem de ser levado imediatamente ao quartel-general dos azuis, para que cessem as hostilidades.

Dali por diante tudo foi fácil. No mesmo dia Dionísio pôs o seu amigo num ônibus e pagou-lhe uma passagem até Juiz de Fora, onde ele certamente seria recebido em triunfo não só pelos seus companheiros de farda, como por toda a população da cidade. Era, pelo menos, o que lhe assegurava Dionísio, ao despedir-se dele num caloroso abraço que Viramundo, olhos molhados, desta vez admitiu receber. Durante a viagem, não resistiu, e anunciou o fim da guerra aos demais passageiros, numa patriótica alocução que ameaçava prolongar-se até Juiz de Fora, se o motorista não o tivesse mandado calar a boca.

— Calo-me, mas em nome dos superiores interesses da pátria — reconsiderou ele.

Não recebeu consagração alguma e nem foi acolhido em triunfo. Ao apresentar-se no esquadrão, teve a surpresa de verificar que a guerra se acabara havia muito tempo, pois os soldados já se tinham recolhido aos quartéis; entre mortos e feridos, todos se salvaram. Por pouco não foi julgado desertor. O Comandante, considerando o seu caso, resolveu condecorá-lo pelo extraordinário feito, concedendo-lhe solenemente um certificado de 3ª categoria, que o dava para todo o sempre como absolutamente incapaz para a vida militar.

— O que consolidou a paz foi o documento de que você heroicamente se fez portador — assegurou-lhe o Capitão Batatinhas.

Não se sabe se o Capitão assim se manifestou para consolá-lo ou se por esse tempo já manifestava igual predisposição para ingressar no universo mental habitado por Viramundo. O certo é que, antes que ele desse baixa, convidou-o a participar dos festejos de aniversário do Esquadrão, nos quais lhe seria reservado um papel da mais relevante importância.

O QUARTEL SE ENGALANOU para celebrar a grande data de maneira condigna. Sob a presidência de honra do Comandante da Região Militar, General Jupiapira Balcemão, e perante seleta assistência, composta de altas personalidades civis e militares, senhoras e senhoritas da fina flor da sociedade

134

local, foram realizados vários torneios, liças, porfias e competições. Os soldados executaram vistosas evoluções de volteio, como verdadeiros cossacos, com exercícios de terra-cavalo, tesoura, transposição, e outras piruetas equestres. Houve prova de saltos e demonstrações de adestramento entre os oficiais, durante as quais o Tenente Fritas se desdobrou em esforços para impressionar sua namorada, a moça de tranças, presente na assistência. Ao vê-la acenar sorrindo para o Tenente, o Capitão Batatinhas fechou a cara e o cavalo tordilho relinchou.

Mas o Comandante do Esquadrão reservava para o final das celebrações o seu grande número, capaz de despertar a admiração de toda a cidade, do país e do mundo, e para o qual era imprescindível a contribuição de Geraldo Viramundo. Para isso, não se cansava de louvar-lhe a heroica atuação durante as manobras, conseguindo arrancar das mãos do inimigo os termos de rendição. Chegou mesmo a propor-lhe, como a mais honrosa das distinções, o seu ingresso no CCC, que só admitia oficiais, mas que abriria para ele uma exceção.

— CCC? — Viramundo reagiu, demonstrando logo sua aversão. — Comando de Caça aos Comunistas? Jamais! Sou democrata, respeito a liberdade de credo e de religião.

— Nada disso — esclareceu o Comandante. — Clube dos Companheiros da Cavalaria. Também conhecido na intimidade como Culhão, Cavalo e Cachaça.

Agora, era ele, Comandante do Esquadrão, que anunciava orgulhosamente ao público a extraordinária surpresa que havia reservado para o final das festividades:

— Excelentíssimo senhor General Jupiapira Balcemão, Comandante da 4ª Região Militar! Minhas senhoras e meus senhores...

Ninguém podia acreditar no que ouvia: um cavalo falante? O Comandante do Esquadrão de Cavalaria, que todos já desconfiavam não regular lá muito bem, ficara maluco de vez? Com um sorriso superior, o Capitão Batatinhas enfrentou a descrença geral, mandando vir o tordilho, já encilhado com jaezes do mais alto luxo, e com ele o ainda praça de pré Geraldo Viramundo, todo chibante na farda limpinha que vestia pela última vez.

— Faremos agora uma demonstração...

E o Capitão cedeu a palavra a Viramundo e ao tordilho. Postados diante da tribuna de honra, ficaram ambos, o cavalo e seu amigo, sem saber o que dizer.

— Pergunte alguma coisa a ele — ordenou o Capitão, impaciente.

— Perguntar o quê, Comandante?

— Qualquer coisa. O nome dele, por exemplo.

Viramundo protestou:

— Tudo menos isso. O senhor sabe que ele não gosta, Comandante.

— O seu nome, então. Qualquer coisa.

Viramundo dirigiu a pergunta ao tordilho e este permaneceu em silêncio.

— Pergunte outra coisa, porra!

E o Capitão voltou-se para a assistência, a justificar-se com um sorriso amarelo:

— O nome do soldado é mesmo meio difícil...

Viramundo perguntou ao cavalo o nome do Capitão, e o animal nem abriu a boca. A descrença se alastrava entre os espectadores, alguns já fazendo graças e trocando motejos:

— O cavalo não gosta de batatinhas...

O mentecapto tirou do bolso um torrão de açúcar e levou-o à boca de seu amigo:

— Que há com você, hoje? Está aborrecido?

Mastigando o açúcar, o animal limitou-se a olhá-lo com olhos de uma tristeza cavalar.

Então Viramundo fez uma última tentativa:

— Como se chama o General Comandante da Região Militar, aqui presente?

O tordilho firmou-se de súbito nas patas, ergueu o rabo e, depois de expelir gás ruidosamente, despejou no chão uma chuva de bosta. A assistência explodiu em gargalhadas, enquanto o General Jupiapira Balcemão protestava, possesso, brandindo os punhos:

— Prendam esse farsante! E você também, Capitão! Vai ser punido por acreditar numa tratantada dessas! Eu conheço esse cavalo, ele não é de nada! Não passa mesmo de um Bunda Mole!

Uma onda de revolta se apossa de Viramundo neste instante. Avançando até a tribuna de honra, põe-se a esbravejar, cheio de indignação, descompondo o General:

— Não admito que ninguém chame assim o meu amigo! Ainda mais um General bunda mole como o Senhor!

Estabelece-se grande tumulto. Vários soldados avançam para prender o mentecapto. Todos falam, gritam, ninguém ouve ninguém. O animal ergue os beiços, mostrando os dentes, e põe-se a relinchar loucamente, como um verdadeiro Bucéfalo. Quando todos afinal se calam e as atenções nele se concentram, o tordilho se volta para o grande mentecapto e, numa voz grave de baixo profundo, fala para quem quiser ouvir:

— Obrigado, Viramundo.

CAPÍTULO VI

*Da passagem musical de Viramundo por São João del Rei,
sua estada na prisão de Tiradentes e o crime de João Tocó,
até a crise espiritual que o levou à desesperança
em Congonhas do Campo.*

E SPINHOSA É A MISSÃO do escritor. Mormente quando se empenha em fazer o levantamento da vida de personagem tão abstruso como o que veio a cruzar o meu já comprometido destino literário. Antes de levar avante o relato de suas aventuras e desventuras, devo esclarecer que não sou diretamente responsável pela veracidade do episódio que dá fecho ao capítulo anterior. Limito-me a vender o peixe — no caso, o cavalo — como me foi vendido. Se o leitor não quiser comprar, não o censuro. Só peço que não tome o episódio como um desses efeitos de fim de capítulo que os escritores costumam usar, para atingir pelo exagero truão o fim colimado. E longe de mim a pretensão de com isso ingressar na prestigiosa corrente do realismo mágico, tão em voga ultimamente, a fim de induzir o leitor a acreditar com naturalidade num fenômeno espantoso, como é o de um cavalo falar. Eu, de minha parte, acredito.

Tenho visto ao longo da vida tantas cavalgaduras bem-falantes, que mais uma não me faz a menor mossa.

E vamos asinha prosseguindo em nosso relato, que muito ainda terei a relatar — mesmo passando por cima do pandemônio desencadeado quando o cavalo falou, para não ter de registrar outras coisas que ele acaso tenha falado. Vou direto ao ônibus em que Viramundo está viajando, para cuja passagem despendeu o que lhe sobrou do soldo recebido, depois dos devidos descontos.

Viajando para onde? De volta a São João del Rei. O encontro com o ex-estudante Dionísio, agora Tenente, veio despertar-lhe velhas recordações, e seu coração se confrangeu: por onde andaria aquela que elegera como sua amada para o resto da vida? Tê-lo-ia esquecido inteiramente, depois de intensa troca de cartas em Ouro Preto, repletas de tão ardoroso amor? Dionísio, que tanto o estimulara no passado, era o único que poderia levar à sua alma, de novo ferida pela paixão, o bálsamo de uma notícia alvissareira sobre ela — quanto mais não fosse, dar-lhe indicações de seu atual paradeiro.

Foi procurá-lo no Hotel do Espanhol, onde residia o Tenente, e teve a sorte de dar com ele no saguão, já de volta do quartel onde servia. Tão logo o viu, Viramundo abriu os braços em sua direção, exclamando:

— Tenente, senti renascer em mim a velha paixão, por isso voltei!

Dionísio recuou um passo, assustado ante tamanho ímpeto. Havia se esquecido da desventura amorosa do grande mentecapto, e por um segundo julgou ser, ele próprio, o objeto de tal paixão.

— De que se trata? — perguntou cautelosamente.

— De que se trata? Senhor meu Deus, dai-me forças! Apenas eu sinto as penas com que o amor tão mal me trata. Pois se trata de Sua Alteza, Marília Ladisbão, serrana bela, filha do Governador Geral da Província! Então não se lembra?

— Ah, se me lembro! — e Dionísio, para não agravar a sandice do grande mentecapto, que aos seus olhos já parecia mais do que agravada, acrescentou: — Leandro, aquele colega nosso que escrevia cartas a você como se fosse a filha do Governador...

Viramundo o olhava, estarrecido. Dionísio se perturbou:

— Bem, na época eu até que procurei te prevenir, não se lembra? Mas você não acreditou...

Viramundo continuava a olhá-lo sem ver nada. Constrangido, Dionísio pretextou um motivo qualquer e se afastou.

E para sempre: devo dizer que o seu comportamento me parece de tal maneira indesculpável, que o expulso de uma vez deste livro.*

Era tão pungente a súbita consciência da verdade, que Viramundo se afastou dali como um sonâmbulo, trocando as pernas pela rua. Apalpou no bolso o maço de cartas que nunca mais deixara de carregar consigo, mesmo nos tempos de guerra, em pleno fragor da batalha. Debruçou-se na amurada do Rio do Lenheiro e pôs-se a rasgá-las, uma por uma, em mil pedacinhos que esvoaçavam no ar como borboletas alucinadas, tangidos pelo vento que soprava. Deixou escapar um soluço estrangulado como se limpasse a garganta, endireitou-se e foi andando.

---

*Tenho precedente ilustre para assim proceder: o de Oswald de Andrade, que expulsou o Pinto Calçudo de seu romance por ter soltado um traque. (*N. do A.*)

Naquele momento cruzava a Ponte da Cadeia um sujeito curvado ao peso de uma tuba que faiscava ao sol. Viramundo o acompanhou com os olhos distraídos. Desde menino se deixava fascinar por instrumentos musicais; sempre que via passar uma banda de música não resistia e seguia marchando no seu rastro, como cachorro vagabundo atrás do batalhão. Era o alfaiate Josias, que, como todos os habitantes da cidade, tocava numa das centenas de orquestras ali existentes.

Viramundo não andou dez passos e ouviu o som de um fagote vindo de uma farmácia. Não resistiu e entrou. O farmacêutico, um velho de nome Policarpo, sentado no seu banquinho ao fundo da farmácia vazia, mal tirou a boca do instrumento para perguntar o que desejava.

— Estou com dor de dente — respondeu.

Em verdade uma dor de dente insidiosa e pertinaz o atormentava desde Juiz de Fora. O velho Policarpo lhe estendeu um tubo de cera Dr. Lustosa, recomendando que pusesse um pouco na cavidade do dente que doía, e voltou ao seu instrumento. O mentecapto ficou a ouvi-lo.

— Você toca alguma coisa, meu filho? — perguntou ele, ante o interesse do freguês.

— Quando era menino lá em Rio Acima tocava flauta de bambu. — E Viramundo acrescentou, nostálgico: — Quando era soldado tinha muita vontade de tocar tambor, mas nunca me deixaram.

Seu Policarpo apiedou-se daquela triste figura que tinha diante de si, achando que a malinconia de sua voz advinha da dor de dente, sem saber da dor maior de amor que lhe ia n'alma. Então, já que ele gostava de música, convidou-o para assistir naquela noite ao ensaio da Euterpe Lira de Ouro, num casarão abandonado lá no bairro do Matola. Viramundo agradeceu, prometendo comparecer, despediu-se e saiu.

— A QUI FUNCIONAVA antigamente um asilo de órfãos — informou o farmacêutico, à noite, ao receber Viramundo, que foi o primeiro a chegar. — Depois o inspetor do asilo, um tal de Laurindo Flores, matou o Coronel Antônio Pio, foi preso e o asilo acabou. Quis pôr a culpa no provedor, o miserável. Morreu na prisão, o que foi mais que merecido. Isto aqui hoje pertence à Prefeitura, que nos empresta para os nossos ensaios.

Seu Policarpo regia a orquestra, fazendo as vezes de maestro. Tocava fagote para si mesmo, na farmácia — ou quando faltava o Sargento Tição, e o negro só faltava quando de serviço no quartel.

Aos poucos os outros foram chegando, e entre eles Josias, o alfaiate, que fora visto naquela manhã com sua tuba. Seu Expedito, dono do açougue, tocava bombardino. Dr. Euclides, promotor, tocava saxofone (tenor). Seu Giuseppe, sapateiro, tocava oboé, e o filho, Nicola, tocava clarineta. Seu Nassif e Seu Abdala, do Bazar e Armarinho Dois Irmãos, tocavam respectivamente pistão e trombone (de vara). Sujiro Kutuzuda, o japonês da oficina de rádio, tocava rabeca. Li Meng-chiau Tzu, o chinês da tinturaria, conhecido apenas por Li, tocava triângulo. Jorge Paleotta, do posto de gasolina, tocava trompa. Dr. Emerlindo Gutapercha, cirurgião-dentista, tocava viola de gamba, e sua mulher, Dona Eponina, diretora do grupo escolar, tocava viola d'amore. Seu Lobato, coletor estadual, tocava flauta. Sua mãe sempre dizia: toca flauta Seu Lobato tinha uma flauta, a flauta era de Seu Lobato. E outros mais.

Havia um menino, o Ottinho, que tocava violino, em dueto com o Estígio Neves, da agência funerária. Moreno, magrinho, de olhos vivos e brilhantes, era de se ver como ele arrancava gemidos plangentes do violino, quase sumido ao lado da figura maciça de seu colega de instrumento. Dizia-se que o Neves, de tão corpulento, teria de fabricar na funerária um caixão especial para quando morresse. Até aí morreu o Neves.

— Esse menino vai longe — vaticinava o farmacêutico, passando a mão em seus cabelos, findo o ensaio. E acrescentava com convicção: — Em música não é lá grande coisa, mas leva jeito para escrever, tem redação própria, virgula muito bem. Ainda vai acabar na Academia Mineira de Letras.

Seu Policarpo tinha em mente dois objetivos ao convidar Viramundo para assistir aos ensaios. Primeiro, o de realmente proporcionar alguma distração àquela tão estrambótica figura que lhe aparecera na farmácia. Segundo, percebendo logo que se tratava de um pobre-diabo sem eira nem beira (não lhe cobrara a cera Dr. Lustosa), via nele a pessoa ideal para ficar morando de vigia no casarão do Matola — tarefa que ninguém na cidade se abalançava a cumprir, pois além de praticamente abandonado, diziam mesmo que o lugar era habitado por assombrações. Assim, os músicos lá poderiam deixar seus instrumentos, dispensados que estariam do transtorno de levá-los e trazê-los sempre que havia ensaio, o que se dava quase todas as noites.

De volta para a cidade, propôs-lhe semelhante trato, em troca de alimento e algum dinheiro de bolso para as despesas. Viramundo aceitou, com uma ressalva:

— Dinheiros de sacristão, cantando vêm, cantando vão. Contento-me com casa, comida e roupa lavada.

O que, evidentemente, não passava de uma maneira de dizer, pois em relação à roupa, Viramundo só possuía a do corpo, que lavava ele próprio quando lhe era proporcionada a rara oportunidade de tomar um banho.

Ficou ele, pois, morando no casarão do Matola, e guardião dos instrumentos da Euterpe Lira de Ouro.

Ora, compartilhava a moradia com o grande mentecapto, não um fantasma, ou vários, como muitos afirmavam (constava na cidade que o antigo inspetor do orfanato, Laurindo Flores, costumava aparecer, e com ele o Coronel Pio e o provedor, para esclarecerem o crime), mas outro ser igualmente assustador: um gambá, que vivia também ali, entre o forro e o telhado. Viramundo não era de se assustar por tão pouco, e certa noite, ao chegar da rua, deu com o bicharoco parado na porta do quartinho dos fundos que escolhera para seu dormitório, e nem um nem outro fugiu: ficaram se olhando fixamente, sem uma palavra — aquela não era uma espécie de animal com quem Viramundo gostava de conversar.

— Com licença — falou apenas, pedindo passagem, e foi entrando.

No dia seguinte o gambá surgiu novamente, e como parecia esfomeado, Viramundo atirou-lhe um pedaço de pão que trouxera para complementar à noite o seu jantar, como era de seu vezo fazer. O marsupial cheirou a côdea e não quis comê-la, pois

145

gambás, pelo menos os de São João del Rei, não comem pão, mas chupam ovo e bebem cachaça. Limitou-se a lançar um olhar de agradecimento ao seu novo companheiro de moradia, antes de lhe virar as costas e se afastar.

Dali por diante passaram os dois a viver, cada um para o seu lado, em perfeita harmonia debaixo do mesmo teto — ou, para ser preciso, um embaixo e outro em cima. Graças a essa condescendência do grande mentecapto em relação a bicho tão repelente, admitindo que circulasse à vontade em vez de matá-lo a pau, como se deve proceder,* deu-se verdadeiro desastre com a Euterpe Lira de Ouro, num grotesco episódio que abalou toda a cidade, e que em seguida passarei a narrar.

A FESTA DE Nossa Senhora das Mercês seria naquele ano comemorada de maneira excepcional: fora realizado um concurso entre as 567 orquestras existentes na cidade, e, derrotando até a grande orquestra sinfônica, com mais de duzentos anos de existência (embora os músicos não fossem os mesmos de sua fundação), a Euterpe Lira de Ouro tirara o primeiro lugar. A ela caberia, pois, a honra de tocar na nave da Igreja de São Francisco — já que a própria Igreja das Mercês era pequena para tão magnificente espetáculo.

Esta a razão pela qual os ensaios se faziam tão intensos desde a retumbante vitória, que, dizia-se à boca pequena, deverase menos aos méritos musicais da Euterpe que ao misterioso

---

*Para maiores informações sobre o assunto, consultar o raconto "Galinha Cega", no li vro do mesmo nome, da autoria de João Alphonsus. (N. do A.)

surto de disenteria (popularmente conhecida como caganeira) do qual foram vítimas, sem exceção, todos os músicos da grande orquestra sinfônica na noite do concerto de decisão final, levando-a à inesperada derrota. Se culpa do infausto acontecimento decorreu de sabotagem dos seus concorrentes, não me cabe afirmar — embora Seu Policarpo não deixasse de sorrir quando mencionavam na cidade o jantar oferecido antes do concerto à orquestra inteira pelo restaurante Fra Diavolo, do Bepino Marsala, que tocava contrabaixo na Euterpe. O certo é que, depois do jantar, os músicos da sinfônica, enquanto tocavam, se borravam todos.

Na véspera do concerto, Viramundo cuidou dos instrumentos com especial carinho, sob o olhar atento e estúpido do gambá, que naquele dia parecia estar mais bêbado que um gambá. Passou uma flanela nos metais para aumentar-lhes o brilho e até mesmo as estantes das partituras mereceram seus cuidados.

O concerto se realizaria pela manhã, durante a missa solene, e constaria da execução da *Missa em Dó Maior*, de Beethoven, que a Euterpe Lira de Ouro ensaiara até a exaustão. Seu Policarpo tivera apenas de fazer na famosa peça musical uma ligeira alteração, dispensando-lhe a parte coral (entre outras razões, porque a Euterpe não dispunha de cantores) e dando ênfase em seu lugar à parte da tuba de Seu Josias, para compensar a sustentação do acompanhamento.

A igreja estava à cunha quando o farmacêutico subiu ao pódio colocado na parte central do portentoso coro, que se abria graciosamente, em volutas barrocas, sobre um arco elíptico, estendendo-se às partes laterais da nave. Espalhados ao longo desse coro estavam os músicos, atentos à partitura. Seu Policarpo ergueu a batuta, olhando fixamente para Seu Josias, que, no arranjo feito para prescindir da parte coral, era quem daria a primeira nota com sua tuba. O alfaiate soprava, soprava, e nada. Em vez da primeira nota, o que a tuba emitiu foi um insuportável mau cheiro que se espalhou por toda a nave. Os fiéis se entreolhavam com estranheza, apreensivos, não estivesse a Euterpe também atacada de disenteria, como vingança de Deus contra o que haviam feito com a sinfônica. Seu Josias, enchendo as bochechas, parecia que ia estourar, e eis que o maestro, horrorizado, vê ser expelido do instrumento, como um canhão, um verdadeiro petardo, que logo se materializou na forma de um horrendo e fedorento gambá.

O que se seguiu, como tantos outros episódios que ocorrem neste tumultuoso relato, foi inenarrável. Projetado lá embaixo, em meio aos espectadores, o animal caiu no colo de um deles, que vinha a ser o de Dona Edvirges Gambará, primeira-dama da cidade, pois era a digníssima e gordalhufa consorte do Excelentíssimo Sr. Dr. Epaminondas Gambará, prefeito local, sentados ambos em lugar de honra, em frente ao altar-mor. O Prefeito, sem perda de tempo, agarrou pelo rabo o gambá que já se aninhava nos peitos de sua esposa e o atirou para cima. Horripiladas, as demais figuras presentes ao grandioso espetáculo sacromusical protegiam o rosto com os braços ou tapavam os narizes com o lenço, enquanto o bicho descrevia uma parábola no ar, indo cair diante do altar, justamente na cabeça do celebrante, Frei Helano (também conhecido por Pito Aceso). Num extraordinário reflexo trazido ainda dos tempos de futebol do seminário, o sacerdote controlou o gambá com uma cabeçada, matou no peito e desfechou-lhe violento chute de efeito, com tamanho senso de pontaria que ele por pouco não foi parar no coro, devolvido à orquestra regida pelo maestro Policarpo.

Viramundo, que a tudo assistia, dissimulado a um canto (de algum tempo a esta parte sentia-se pouco à vontade dentro de igrejas, por motivos que serão abordados mais tarde neste relato), não chegou a ver o tumulto que se deu quando todos queriam sair ao mesmo tempo, fugindo daquele horror. Fugiu ele próprio pela porta da sacristia e, consta até hoje na cidade, correu tanto que sem perceber deixou para trás São João del Rei e foi parar em Tiradentes.

P OR QUE VIRAMUNDO agora se sentia pouco à vontade dentro de igrejas? Era o que ele se perguntava, admirando o interior da Matriz de Tiradentes, de um fausto ofuscante aos seus olhos: o requinte oriental nas obras de talha do altar-mor laminadas de ouro, os anjinhos chorando nos altares laterais, outros rindo — Viramundo olhava cada detalhe, tentando entender o sentido que continham.

Que sentido têm as coisas? — o grande mentecapto perguntou a si mesmo, sentando-se num banco da nave àquela hora vazia, e veio-lhe de súbito a consciência da própria mentecapcidade, tão despropositada quanto a minha ousadia em escrever semelhante palavra. Não entendia mais nada de nada — e tal desentendimento o atingia tão fundo, que Geraldo Viramundo pôs-se a chorar.

O leitor deve estar lembrado de crise semelhante, que o assaltou, anos antes, quando era pouco mais que um adolescente, também numa igreja, ou, mais precisamente, na Capela do Seminário em Mariana. Mas daquela feita o choro era fruto de suas meditações, ao passo que agora decorria de constatação nascida da mesma dúvida que o levara, em menino, a interpelar o Padre Limeira em Rio Acima: meditar em quê? Não havia mesmo nada sobre que meditar, concluía agora. Sentia-se completamente vazio por dentro, numa solidão sem remédio.

Tentou pensar em sua amada tão distante, a doce e terna Marília de seus olhos, mas a revelação de que as cartas não eram dela se interpunha, dorida, em sua mente — viu que ela também ia se esfumando em sua alma, deixando o coração vazio e se perdendo na lembrança. Não havia mais nada em que se agarrar para sobreviver. Fora reduzido à expressão mais simples, e noves fora, zero, como dizia o Dr. Pantaleão. Se alguma coisa lhe restava no espírito, era apenas a consciência disso.

Os leitores a esta altura poderão pôr em dúvida a verossimilhança do meu relato, pelo tom subitamente macambúzio que o mesmo assumiu, depois de haver passado por tantas e tão animadas tropelias. Dou-lhes razão, na medida em que já me falecem luzes para acompanhar a bruxuleante claridade da mente do nosso herói, que dirá no momento em que ela ameaça mergulhar na escuridão. E a escuridão, ele próprio já afirmava no debate público de Barbacena, quanto maior, menos se vê.

Viramundo saiu da igreja para a luz do dia e pôs-se a andar como um autômato pelas ruas de Tiradentes. Não o impressionaram as calçadas de lajes bem varridas, o meio-fio de pedra recém-caiada, tudo arrumadinho na cidade morta, porque não tinha sequer noção de onde estava. E sabia menos ainda que recentemente fora recebido ali em visita oficial o próprio Governador-Geral da Província, Clarimundo Ladisbão, com a sua comitiva, e a cidade se enfeitara para recebê-lo. Mal podia imaginar Viramundo quão perto andara de rever aquela que já fora a sua amada a vida inteira e que parecia ter deixado de viver em seu coração.

Não se via viv'alma pelas ruas. Viramundo foi seguindo sem rumo, como se estivesse numa cidade abandonada. Ao deter-se diante de uma igrejinha, transformada em pequeno museu àquela hora fechado, ouviu de súbito uma voz atrás de si:

— Eh, você aí, companheiro.

Voltou-se e não viu ninguém. Deu de ombros e já ia prosseguir na sua caminhada, quando o chamaram de novo:

— Eh, companheiro, é aqui!

Olhou para o prédio fronteiro à igrejinha e viu uma janela de grades enferrujadas. Era a cadeia local, e o único preso ali cumprindo pena o chamava lá da sua cela:

— Adão foi feito de barro. Amigo, me dá um cigarro.

Viramundo respondeu prontamente:

— De barro foi feito Adão. Amigo, não tenho não.

Mandou que aguardasse um momento, e se afastou. Na primeira venda que encontrou, pediu um cigarro a um freguês e, sendo atendido, voltou correndo:

— Aqui está.

Estendeu o cigarro por entre as grades e depois ficou por ali de conversa com o preso, que se chamava João Tocó. Este lhe contou que já cumprira seis anos de uma pena de quinze. Seu ângulo de visão era apenas aquela igrejinha, e de tanto vê-la, apreciando o movimento de visitantes e turistas, acabou aprendendo alguma coisa sobre a sua história, que repetia para quem se dispusesse a dar-lhe uns trocados — e assim ia vivendo. Como a conversa se prolongasse, e em termos diferentes do usual, o carcereiro veio lá de sua sala ver quem é que estava de prosa com o João Tocó. Ao dar com Viramundo, convidou-o a entrar:

— Não faça cerimônia. Aqui dentro você conversa mais à vontade.

Viramundo aceitou e o carcereiro, abrindo com uma enorme chave a porta de grades, deu-lhe entrada na cela do prisioneiro, trancando-a em seguida.

Este havia armado no meio da cela uma espécie de barraca de campanha, feita de lona de caminhão, para proteger-se não apenas do frio, como dos olhares bisbilhoteiros dos passantes lá da rua. E foi ali dentro que, ambos comodamente sentados numa esteira, conversa vai, conversa vem, João Tocó contou a Viramundo a sua história, como se segue.

"NASCI NA DIVISA ALEGRE, um lugarzinho de nada pra lá de Teófilo Otôni, perto de Pedra Azul, já no caminho de Vitória da Conquista. É mesmo ali na divisa da Bahia, daí o nome. O que a gente fazia lá era garimpar mais garimpar, só que não achava nada não. Passava fome, cobras e lagartos eu tive de comer, apanhados no brejo perto do Rio Mosquito, que de rio não tem nada, só tem mesmo é mosquito, um filete

152

d'água que não dá nem pra matar a sede. A obrigação vivia da mão pra boca, mulher reclamando, os filhos chorando de não ter o que comer. Então arresolvi me desgarrar pra Diamantina lá na Divisa que era dita terra prometida, tinha diamante de dar com pé, reluzindo no chão, nem precisava cavar, era só apanhar os grandes, que os pequenos era que nem cascalho de tanto que tinha. Então passei a mão na patroa e nos meninos, mais meu genro e dois cunhados, e meti o pé na estrada, vinhemo tudo pra Diamantina.

"Uma lonjura dessa não dá pra maginar: levei um ano, daí pra mais em andança com a tribo, pernoitando em paiol de fazenda, rancho de beira-caminho, chiqueiro e curral, adonde dessem pra gente pasto e pousada. Vai daí, depois de muitas luas afinal a gente arribou, só que não arriamos em Diamantina mas ali nos pertos, que dentro da cidade não deixavam garimpar, era tudo duma companhia lá que tinha exploração. Então eu passava o dia no cabo da enxada como se fosse no eito e mais meu cunhado, e o outro cunhado, e o genro e o resto do povinho, cava que cava de manhã até de noite e só desencavando pedra, porque diamante não tinha não. Daqui prali, dali pra lá, a gente não tendo nem onde cair morto, não dava mesmo pra viver e no fim de dez anos eu falei assim comigo você não vai achar diamante nenhum, seu João, o melhor é voltar todo mundo pra Divisa Alegre que ali pelo menos não tem diamante mas a vida é melhorzinha, o governo tava prometendo serviço seguro pra quem quisesse trabalhar.

"Então reuni o pessoal e sentei pé na estrada de volta pra minha terra de nascença. Mais um ano no calcanho, terra batida palmo a palmo, vivendo de favor, eu, a mulher e os meninos, de vez em quando perdendo um, que isso de filho é criação que morre muito. Cheguei e fui pro mesmo lugar de onde tinha saído. Governo deu serviço não. Plantei minha rocinha e fui aguentando. Até que um dia... Bem, aí é que começa mesmo a minha história. Até que um dia tive um sonho.

"Sonhei que amanhava a terra e de repente, numa enxadada certeira, a terra escorreu... A terra escorreu e diante de meus olhos brilhou, tirando faísca, um diamante enorme, deste tamanho, um diamantão mais bonito que uma estrela no céu. Como uma estrela no céu? Como o próprio olho de Deus! Olhei ao redor do meu sonho pra ver onde é que eu tava, e pois não é que eu tava era em Diamantina, no mesmo sítio onde enterrei minha ilusão.

"E lá fui eu de novo, no dia seguinte mesmo, arrastando comigo minha cambada. Levei nisso outro entreano, repetindo pernoites já vividos, toma estrada! E dei comigo de novo em terra diamantina. Você haverá de ver a gana que eu procurei o diamante do meu sonho. O Vale do Tijuco ficou todo arrevirado. De vez em quando desmoronava, eu ia ver, não era um diamante, era um calhau. Vai um dia, sonhei de novo.

"Desta vez procurei prestar bastante atenção no sonho pra ver se descobria adonde é que tava o diamante. A mesma coisa: eu mandava uma enxadada, a terra escorria, e ele lá brilhando de cegar a vista. Agora eu pude botar reparo. Era numa grota, uma espécie de salão de pedra aberto debaixo duma montanha, e o lugar era num canto junto da parede de rocha, perto duma touceirinha de capim. Acordei no meio da noite todo suado e tremendo, parecia estar num febrão daqueles, mas não estava, era só emoção. É que desta vez eu sabia adonde desencavar o

154

diamantão: era na Gruta do Salitre, um lugar que tem em Diamantina mesmo, pra lá do bairro da Palha, pouco antes da Vila da Extração: fica perto da chacra da Chica da Silva, ali mesmo onde o amante da mulata encheu um lago e botou nele um barco pra ela. Até tomei nota pra não esquecer e, mais assossegado, tornei a dormir. Tornei a sonhar também, só que agora era um sonho diferente: me apareceu um negro grandão sorrindo com dois dentes de ouro e me perguntando por que é que eu tava satisfeito assim. Eu disse pra ele que era porque dispois de mais de vinte anos eu tinha achado o diamante dos meus sonhos: era na Gruta do Salitre — e mostrei pra ele o lugar. Quando acordei me arrependi de ter contado, mas aos dispois até achei graça, pois que bobagem, sô! aquilo não passava de um sonho.

"Deixei pra ir na Gruta de noitinha, que ali também é lugar proibido de garimpar, só a tal companhia de mineração é que pode. Levei comigo um lampião, mas desci no escuro de pedra em pedra até o grotão no pé da montanha. Só quando eu já tava naquele salãozão de pedra é que acendi a luz e saí procurando. Me lembro que levei um susto medonho com o danado de um lagarto de olho grande me olhando da greta duma pedra... Saí procurando e encontrei: a parede de rocha tal qual eu tinha sonhado, a touceirinha de capim... Só que a terra estava toda remexida, alguém tinha estado ali antes de mim. E era remexido fresco, daquele dia mesmo.

"Voltei pra cidade com a cabeça azucrinada, sem saber o que pensar. Ainda era cedo e me lembro que tomei uma cachaça no botequim do Jésu pra botar as ideias no lugar. Tinha lá uns seresteiros, o Sílvio Felício e o Nonô-Vai-da-Valsa com aquele vozeirão dele, e os dois Eulálios violeiros, o Alexandre e o David. Tavam ameaçando uma seresta praquela noite mas eu ali sem escutar nada, só matutando, matutando. Pois então não tinha diamante nenhum — quem sabe agora é que eu estava sonhando? Pelo sim, pelo não, resolvi não beber mais não. No caminho de casa, passei pela casa de lapidação e achei aquele trem meio esquisito: uai, sô, mais de oito horas da noite e ainda tava aberta? Tinha uma ajuntação de gente na porta, todo mundo animado, comentando... Fui até lá, abri caminho e entrei, pra ver o que era. A casa é um lugar onde eles fazem valiação das pedras e até compram na hora, se tiver algum bobo que quer vender. Pois a primeira coisa que eu vejo é um negrão debruçado no balcão, e quando me viu entrar sorriu pra mim, um sorriso de dois dentes de ouro. É ele — pensei. Olhei pro pratinho da balança e meu coração parou dentro do peito: um diamante maior que um ovo de codorna, brilhando feito uma coisa, o diamante do meu sonho! Todo mundo comentava em redor falando ao mesmo tempo mas de repente ficou tudo calado quando eu caminhei até o negro e falei assim: Esse diamante é meu. Agora sim, parecia que eu tava sonhando. Ele deu uma risada e virou de costas. Eu tornei a dizer: Esse diamante é meu. Então ele respondeu, assim mesmo de costas: Era seu, agora é meu. Pra que você foi bobo de me contar? Então eu perdi a cabeça e avancei, mão estendida pra apanhar o diamante na balança, todo mundo me olhando sem entender nada, aquele silêncio em redor. Ele me deu um empurrão tão forte que eu caí pra trás, bati com a cabeça na quina dum banco de pedra, quando passei a mão no cabelo ela ficou melada de sangue. Ele soltou uma gargalhada, e então eu não vi mais nada. Quando dei tento de mim já tinha arrancado da cinta a lambedeira e enterrado na barriga dele até o cabo. Ele morreu ali mesmo e eu fui condenado a quinze anos de cadeia. Fiquei sabendo muito tempo depois que na confusão o diamante sumiu, ninguém sabe onde foi parar, ninguém viu, tem gente que acha que ele nunca existiu, que tudo não tinha mesmo passado de um sonho."

A O FIM DA HISTÓRIA de João Tocó, uma dúvida certamente não terá ocorrido a Viramundo mas pode ocorrer ao leitor, como, aliás, aconteceu comigo: tendo ele cometido o crime em Diamantina, em cuja comarca certamente foi julgado, por que diabo acabou cumprindo pena em Tiradentes?

É simples, e a explicação foi por mim colhida no Arquivo Público Mineiro, durante as minhas pesquisas, depois de consultar documentos da época, relativos à segurança do Estado. Apurei que a cadeia de Tiradentes estava havia anos completamente vazia, em razão da inexistência de criminosos naquela cidade. Em convênio firmado com a Secretaria do Interior, para que não fosse forçada a fechar a cadeia local por falta de uso, a municipalidade pediu que lhe encaminhassem algum preso excedente na cadeia de outro município. Ora, o problema de Diamantina era justamente o oposto: a cadeia, ali, se achava instalada no antigo Teatro Santa Isabel, e a população local, com justas razões, achava que o prédio devia ser restaurado e devolvido à sua serventia original, pois que a cidade cultivava mais a arte do que o crime. Assim, quanto menos presos lá houvesse, tanto melhor, e João Tocó, por ser de bom comportamento, foi logo transferido.

Outras eram as dúvidas de Viramundo, quando o preso se calou:

— Tem seis anos que você não vê sua mulher e seus filhos?

João Tocó assentiu, os olhos cheios de lágrimas:

— Não sabem nem onde é que eu tou.

— Vou ajudá-lo a sair daqui, se você prometer que volta — disse Viramundo. E contou-lhe o que estava planejando.

Esperaram que escurecesse e somente então Viramundo chamou o carcereiro:

— Abre aqui que eu quero ir embora!

O carcereiro veio abrir, rindo:

— Pensei que você queria ficar aqui pra sempre.

Na meia-luz da cadeia, não viu que foi João Tocó quem deslizou para fora em lugar de Viramundo, pois os dois haviam trocado de roupa.

Só na manhã seguinte o homem percebeu o engodo de que fora vítima.

— Ele prometeu voltar — assegurou Viramundo.

— Então você fica preso até que ele volte.

O carcereiro, um homem bonachão e de boa paz chamado Seu Rolim, não tinha dado grande importância à fuga do outro:

— O que é preciso é que tenha algum preso, senão a cadeia fecha e eu perco o meu emprego.

Viramundo ficou preso um ano e dois meses.

JOÃO TOCÓ JAMAIS VOLTOU. Talvez esteja até hoje perdido na imensidão de Minas Gerais, cavando o solo à procura do diamante de suas ilusões. Viramundo foi solto porque um dia baixou na cadeia outro preso, um bêbado que fazia arruaça na rua em frente à casa do Padre Toledo. Era um homem completamente diferente do grande mentecapto, aquele que seguia pela estrada, em meio a uma leva de romeiros a caminho de Congonhas do Campo. Estava entre eles por mero acaso, porque iam na mesma direção e eram tantos, que não havia como evitar-lhes a proximidade, o que, de resto, não o incomodava. Apenas era completamente diversa da deles a sua disposição de espírito. Enquanto cegos, zarolhos, aleijados, pernetas, manetas, papudos, lázaros, estropiados e maltrapilhos seguiam cheios de esperança no coração, Viramundo, desditoso e atormentado, era alguém que parecia nada mais esperar da vida. Não que aquela temporada na cadeia de Tiradentes lhe tenha sido penosa ou sofrida, pela privação da liberdade que ele tanto prezava, ou que o tivessem submetido a maus-tratos. Ao contrário, o carcereiro, Seu Rolim, como já disse, era um homem tranquilo e de boa índole. Procurou deixá-lo em paz, vendo que seu sofrimento interior não encontraria palavras que o abrandassem. Viramundo passava quase o dia todo calado, imerso em seus pensamentos, não falando senão o estritamente necessário para revelar que sua grande mágoa não era com ninguém mais, senão consigo mesmo. Nada em sua figura lembrava agora o jovem destemido e destemperado que vem trazendo a nossa história em permanente sobressalto. Cabisbaixo, taciturno, ia palmilhando com indiferença a longa estrada de Minas sem esperar que ela o levasse a lugar nenhum.

Qual o motivo de tamanho abatimento? A consciência de que jamais mereceria o amor de sua Marília, que de súbito se abateu sobre ele na Matriz de Tiradentes, entre reflexos de ouro do altar e querubins chorando e rindo? Mais do que isto. Embora a perda do amor fosse crucial para a sua alma, ela não era senão a exteriorização de algo mais grave que sentia passar-se no fundo de si mesmo, e que ele próprio jamais saberia formular em palavras: havia simplesmente perdido a fé. Fé em quê? Não sabia. Em verdade, não sabia nem se ele próprio existia realmente ou se não passava da criação alucinada de alguém mais louco ainda, a divertir-se com sua loucura até que ela o levasse desta para melhor.

Deixemos de perquirições metafísicas, antes que elas comprometam de vez o meu relato. Quem não tem vergonha toma chá de congonha, diz o mineiro. Congonhas à vista. Uma torre de igreja acabava de despontar além da colina, na curva da estrada. Surgiu um rio — e a cidade ficava do outro lado, nenhuma ponte de permeio. A leva de romeiros se deteve, indecisa. Uma velha com um sorriso de um só dente, encostada na porta de um casebre à beira do rio, informava:

— A ponte caiu faz uns três anos. O jeito é passar por dentro d'água ali em riba, na curva, que dá nas canelas.

Seguiram o conselho da bruxa, Viramundo no meio deles. Já do outro lado, foram galgando penosamente a ladeira de pedras irregulares, e, vindos de todo lado, outros bandos de romeiros engrossavam uma enorme multidão de infelizes.

De repente, em meio ao vozerio que o cercava, invocações, lamentos, ladainhas e jaculatórias, ouviu uma voz conhecida:

— Me leva direito, Matias, que senão eu te dou umas bordoadas!

Era o cego Elias, de Ouro Preto, que o filho, agora um rapazinho, conduzia rua acima, puxando-o pela bengala branca. Viramundo se deu a conhecer, e os dois velhos amigos se abraçaram, comovidos:

— Vou ganhar olho novo só pra poder te ver pela primeira vez! — dizia o cego, rindo. — Imagina só o susto que eu vou levar!

E juntos foram subindo a ladeira. Viramundo repetia mentalmente os versos de Alphonsus de Guimaraens sobre aquele lugar, que sabia de cor:

Vai-se pela ladeira acima
Até chegar ao alto do morro.
Tão longe... Mas quem desanima,
Se ele é o Senhor do Bom Socorro!

Eram versos que falavam justamente do que estava se passando ao seu redor:

Quando o jubileu se aproxima,
Ai! quanta gente sobe o morro...
Tão longe... mas quem desanima,
Se ele é o Senhor do Bom Socorro!

Entrevados de muitos anos
Vão de rastros pelos caminhos
Olhar os olhos tão humanos
Do Bom Jesus de Matozinhos.

Saem de leitos como de eças,
Espectros cheios de esperança
E vão cumprir loucas promessas
Pois de esperar a fé não cansa.

— Ai que eu já não aguento! — gemeu o velho Elias.

Viramundo deu-lhe o braço e repetiu os últimos versos em voz alta:

— *Direis talvez: Chegar lá em cima...*
Antes de lá chegar eu morro!
Tão longe... Mas quem desanima,
Se ele é o Senhor do Bom Socorro!

O cego sorriu na sua escuridão e ganhou ânimo novo. A cidade estava repleta de romeiros mas ainda assim Viramundo logrou instalar-se com seu amigo e o filho no porão de uma casa abandonada e em ruínas, num subúrbio. No dia seguinte seria a festa que atraíra para ali toda aquela multidão de peregrinos, vindos das mais longínquas plagas de Minas Gerais. O cego Elias não via a hora de ir para a igreja pedir o seu milagre. Viramundo preferiu não acompanhá-lo:

— Acho que na igreja não tem mais lugar para mim — murmurou, como para si mesmo.

— A gente chega cedo...

De repente o velho Elias se endireitou:

— Não tem lugar como? Então Jesus Cristo Nosso Senhor não está lá para te proteger?

— Não sei se ele está lá.

E o grande mentecapto sorriu tristemente:

— Este foi o melhor homem que já existiu. E no entanto, olha só o que fizeram com ele.

O cego se surpreendia com o desalento de seu amigo:

— Que sacrilégio é esse, Viramundo? Deixa essas ideias pra lá, que isso é coisa de ateu! Você não é comunista nem nada!

E lá se foi ele com sua bengala branca e o filho fazer suas preces a Nosso Senhor. Pensou que na volta já ia poder dispensar o Matias, e queixou-se a Viramundo, desanimado:

— Até agora não estou enxergando nada.

— A verdadeira visão é a da luz interior — respondeu Viramundo. — E eu sou como um cego tateando na escuridão.

— É isso mesmo — concordou Elias, impressionado. — Só que eu bem que gostaria de ter também um pouquinho de luz exterior.

Ao fim de dois dias, deixando na capela seus ex-votos, a maioria dos romeiros tinha partido, esperanças recolhidas para se reacenderem no ano seguinte. Era um verdadeiro museu de horrores: dependurados pelas paredes, em molduras ovais, retratos retocados com lápis de cor, de mistura com braços, pernas, cabeças e até seios de cera ou de madeira, indicando a localização das chagas. Pelos cantos, dezenas de muletas, aparelhos ortopédicos e bengalas brancas — revelando que ao longo do tempo outros que não o velho Elias tinham sido atendidos nas suas preces.

Foram dias de muita perturbação para a cidade, de modo que a polícia andou estimulando à sua maneira, isto é, aos empurrões e a golpes de sabre, a saída dos mais renitentes, que prolongavam sua permanência, ainda à espera de um milagre. Ignorando tal disposição das autoridades, Viramundo, Elias e o filho se deixaram ficar mais um pouco. E naquela tarde o grande mentecapto aproveitou a calmaria que reinava agora em Congonhas para fazer aquilo que seu amigo não podia fazer, a não ser que merecesse enfim o milagre esperado: olhar de perto os profetas do Aleijadinho.

Era aquela hora tardonha e morna, na indolência de Minas Gerais, em que o sol castiga os telhados e só, na porta da venda, Tutu Caramujo cisma na derrota incomparável.*

Lá estavam eles, os profetas, assistindo imóveis ao rolar dos tempos, dispostos pela escadaria e no adro, à distância regular um do outro, como sentinelas da eternidade. Em voo lento, um urubu riscava o azul do céu por entre manchas de nuvens. Tudo quieto e parado, em suspenso. Até ali não chegava a confusão do mundo. Geraldo Viramundo parecia ter saído do mundo. O tempo havia parado.

Eis senão quando irrompe no adro da igreja o filho do velho Elias a gritar:

— Acode, Viramundo, que eles estão matando o meu pai!

E Matias, enquanto Viramundo o acompanhava correndo, explicava confusamente que dois soldados quiseram retirar à força o cego do porão e atirá-lo fora da cidade. O pai reagira com a sua bengala, e os soldados caíram de sabre em cima dele.

Encontraram o velho Elias estirado no chão de terra do porão que lhes servia de abrigo. Viramundo ajoelhou-se e tomou-lhe a cabeça branca nas mãos, sem saber se ainda havia vida por detrás daqueles olhos opacos. Mas o velho ofegava, engas-

---

*O verso do poeta Carlos fala, como se sabe, do Tutu Caramujo de Itabira, e que aqui foi mencionado em Congonhas apenas por conveniência literária. Aliás, houve quem o tomasse como uma referência ao Viramundo, donde lhe adveio também este cognome. (*N. do A.*)

gado, e afinal abriu a boca para deixar escorrer um filete de sangue. Viramundo chamava-o pelo nome, ansioso, abraçava-o, beijava-lhe os olhos:

— Elias, o que fizeram com você, Elias, por que fizeram isso, meu Deus... — e soluçava, molhando de lágrimas o rosto do amigo.

Em pouco era um corpo sem vida que ele apertava desesperadamente nos braços.

Mais tarde era o delegado que chegava e tomava as providências para abafar o crime que seus comandados haviam cometido. Mandou que o rabecão do necrotério transportasse naquele mesmo dia o corpo da vítima para Ouro Preto em companhia do filho, conforme desejo deste, depois que o legista passou o atestado de óbito em que se lia: *Causa mortis* — ignorada.

L Á ESTÃO ELES, dentro da noite — e agora os doze vultos escuros, recortados contra um céu embruscado e soturno, adquirem proporções fantásticas, esmagadoras, de gigantes. Daniel, o rosto imberbe sob o barrete hebraico, leão a seus pés, assume uma expressão reflexiva e mística. Oseias tem o semblante perdido num sonho distante. Jonas interroga as alturas, Joel se volta como a dizer: esperem pelo pior. Os olhos oblíquos de Ezequiel observam, mordazes, Baruch permanece insensível. Naum curvado para a frente, Amós numa postura desgraciosa de quem espera. Habacuc ergue dramaticamente o braço. A barba hirsuta de Isaías lhe dá rigidez ao rosto. Jeremias e Abdias se assemelham, e também aguardam para sempre.

Alguém os contempla, um por um, plantado no centro do adro, mergulhado na penumbra. O tumulto que lhe vai na alma atingiu o auge, como ondas gigantescas que se chocam furiosamente contra a pedra, tentando romper os diques. De súbito, numa voz irreconhecível, como que arrancada do fundo de uma caverna, ele grita para os céus, erguendo os braços:

— Por que me abandonaste?

Por algum tempo fica imóvel, os olhos vítreos voltados para o alto, como à espera de uma resposta. E volta a gritar:

— Acaso sou eu o guardião de meu irmão?

Num passo estugado e rígido, comandado pela própria demência, marcha de um para outro dos profetas, detém-se diante de Isaías:

— Quem é cego, senão o servo do Senhor? Tu que vês tantas coisas, não as observarás? Tu que tens os ouvidos abertos, não ouvirás?

Caminhou mais além, sem que a estátua fizesse ouvir a sua voz de pedra.

— E tu, Habacuc? Até quando levantarei a minha voz para ti, padecendo violência, sem que tu me salves? Por que me mostraste a iniquidade, reduzindo-me a ver diante de mim somente a opressão e a violência?

Voltou-se e avançou impetuosamente pelo adro:

— E tu também, Jeremias! Em minhas entranhas, em minhas entranhas sinto a dor. Os afetos do meu coração perturbaram-se dentro de mim.

Um raio cortou o céu, iluminando por um segundo os solenes vultos de pedra que cercavam Viramundo, e o trovão rolou pela noite. Pingos d'água tombavam, misturando-se ao sal de suas lágrimas a escorrer pelo rosto. Depois a chuva se despenhou forte, poderosa, arrasadora, sem que ele se importasse. Quando amainou, ainda estava ali, de pé, desafiando as potestades dos céus do fundo da noite em que mergulhara.

E a noite se foi. A aurora conseguiu romper as nuvens com seus dedos cor-de-rosa, para encontrá-lo prostrado na soleira da igreja, finalmente adormecido, as costas apoiadas no umbral de pedra, em cujo beiral, sobre sua cabeça, depois de riscar o ar batendo as asas, uma pomba branca veio pousar.

CAPÍTULO VII

Onde Viramundo, depois de pegar touro à unha em Uberaba,
vai de Ceca em Meca para cumprir o seu destino,
reverenciando a literatura mineira, passando a noite com
um fantasma e quase morrendo por uma mulher.

É UM TOURO QUE vem desembestado — ou desentourado — pelas ruas do centro de Uberaba? Ou acaso estarei em Pamplona? Vejo gente fugindo em pânico, alguns gritando de terror, outros rindo nervosamente, todos correndo aos trambolhões, tropeços e trompaços. Alguns sobem em árvores, outros se protegem nos desvãos das portas ou atrás dos postes, muitos esbarram e cambaleiam e caem e são pisados pelos outros. Há mesmo quem galgue janelas em saltos prodigiosos que mais tarde não saberão explicar e muito menos saberiam repetir. O touro, bufando como uma locomotiva e largando labaredas pelas ventas,* investe furioso como as águas do Mar do Norte invadiram a Holanda quando se romperam os diques da cidade de Leide durante o cerco das tropas espanholas co-

---

*Apenas um lembrete para os futuros estudiosos da presente obra: em outra parte da mesma foi feita a comparação de uma locomotiva com um touro. (*N. do A.*)

mandadas pelo General Valdez. Perdoem os leitores a extensa comparação, certamente um pouco inadequada ao contexto, mas acontece que acaba o livro chegando ao fim sem que se me ofereça outra oportunidade de usá-la.

Neste ponto, aliás, confesso que me sinto tentado a interromper em definitivo o meu trabalho. Se prossigo, é única e exclusivamente por um imperativo de consciência como escritor, diante de meus leitores. Não tenho o direito de trazê-los até aqui, para abandoná-los em meio à áspera jornada que juntos empreendemos. Agora, o jeito é vender o resto das entradas, o espetáculo continua — e quem pariu Mateus que o embale. Portanto, continuemos, mesmo aos atropelos, trancos e barrancos, com que Geraldo Viramundo nos arrasta consigo ao longo de suas peregrinações.

Peço vênia, porém, para esclarecer que daqui por diante o meu relato será um tanto claudicante na sua ordem cronológica, dado que, por muito haja tentado, não consegui estabelecer, a partir de Congonhas do Campo, o roteiro preciso do grande mentecapto pelas cidades da Província de Minas Gerais.

Consultando minhas anotações, verifiquei a existência de notícia precisa sobre ele em Uberaba, por ocasião da Grande Exposição Agropecuária (não sei se antes ou depois de sua agonia no adro da Matriz, provavelmente antes). Como chegou até lá, só Deus sabe. O leitor já deve ter percebido que Viramundo entrava nas cidades e delas saía sem pedir licença, como aliás procedem os demais personagens em relação a esta minha história.

O episódio do touro solto pelas ruas não entrou aqui apenas para dar uma movimentada partida a este capítulo, como elemento decorativo, segundo moderna técnica narrativa em

170

que é mestre o romancista Jorge Amado.* É também uma espécie de pano de fundo para a descrição do sensacional acontecimento que se deu em seguida. Pois no meio da turbamulta, quem se via senão o próprio Geraldo Viramundo, fugindo também? Não se tratava propriamente de uma corrida de touros em Salvaterra: o touro na realidade nem touro era, mas uma vaca brava que tinha fugido no momento em que a transportavam para o curral da exposição, e investira contra o populacho que a acirrava.

Ao desembocar na praça, deteve-se diante da Loja Fernando Sabino existente naquele local,** e por pouco não a invadia, quando uma mulher de vermelho, indiferente a tudo, ali entrou para comprar um retrós.

Depois recuou sobre suas poderosas patas, abrindo na praça um leque de gente que se espalhava, horrorizada, em todas as direções, e resolveu partir por conta própria para o local da Exposição. O leitor não perde por esperar a surpresa que lhe reserva ali o nosso emocionante relato.

Lá chegando, o povaréu correu para um lado e a vaca para outro, numa bifurcação do tapume logo à entrada, que delimitava a parte destinada aos espectadores da parte destinada aos animais. Aconteceu, porém, que se inverteu a escolha das direções, no tumulto reinante, precipitando-se o público na sua correria para o setor dos animais, enquanto a vaca invadia a galope o setor do público, com as arquibancadas naquele momento apinhadas de gente.

---

*Único baiano que, por um descuido do Autor, logrou cruzar a fronteira de Minas e introduzir-se à sorrelfa nesta obra, que cuida exclusivamente de mineiros. (N. do A.)
**Nenhum parentesco com o escritor do mesmo nome. (N. do A.)

Goya teria de mobilizar toda a sua genialidade pictórica se quisesse reproduzir o que se passou então: foi uma cena verdadeiramente goyesca. Plantada nas quatro patas, mastigando uma espumante baba bovina, a expelir vapor pelas ventas, a vaca se deteve a olhar, momentaneamente surpresa, aquele povão todo, como a escolher em que setor investir primeiro. Estava exatamente em frente à tribuna de honra, e quem ali se achava, toda airosa e garrida, ao lado do seu digníssimo pai, cercada de sua vassalagem? Esta a surpresa reservada não somente ao leitor mas ao próprio Viramundo, que se deixara ultrapassar pela vaca na corrida e chegava naquele instante, espaventado e espavorido, embora já não tivesse mais por que se espavorir. Ao ver a vaca, estacou e ia disparando de volta, quando seus olhos deram com aquela que um dia havia eleito como sua amada para a vida inteira. Ao lado do pai, Marília Ladisbão olhava apavorada para a massa enorme de ossos e músculos e chifres, a menos de três metros, prestes a se abater ferozmente sobre eles.

O grande mentecapto precipitou-se num átimo até o traseiro do animal e puxou-o pela cauda. Se fisicamente ele não podia com uma gata pelo rabo, que dirá uma vaca! Removê-la daquela maneira, nem com a fé que remove montanhas. A própria vaca, aborrecida, voltou a cabeçorra para ver quem era aquele importuno que lhe fazia cócegas, e o atirou longe apenas com uma rabanada, como se espantasse uma mosca. Depois escarvou o chão com as patas e baixou a cabeça para investir.

Então é que se deu o prodigioso episódio, do qual existem até hoje em Uberaba testemunhas oculares que não me deixam mentir. A assistência, paralisada de medo, transida de horror, acompanhava tudo num silêncio mortal: nunca tinham visto vivente algum agarrar um touro à unha. Pois foi o que fez o grande mentecapto: literalmente agarrou a vaca pelos chifres e, não satisfeito ante a sua indomável bravura, com a força de um Hércules torceu-lhe os cornos, partindo-os como se fossem dois galhos secos.

Aqui, antes que o leitor feche este livro para atirar-mo à cara, peço-lhe paciência para ler antes a retrogressão* que se segue.

Q UANDO BAIXARA naquela região, Viramundo tinha pedido abrigo a um pintor chamado Erich Raspe, que habitava por aquelas bandas, a dois quilômetros da cidade, e este, que era também um pouco viramundo ele próprio, não vacilou em acolhê-lo. Raspe, alemão de nascimento, fugira ao bulício do mundo e viera buscar em plena solidão do Triângulo Mineiro a tranquilidade que a metrópole não lhe soubera proporcionar. Desde sua chegada, porém, metera-se numa contenda com o vizinho por uma questão de limites: de tal maneira se desavinham e tão complicada era a referida questão, que por pouco não sou forçado a usar a palavra pendenga.

Para resumir, direi apenas que o vizinho de Raspe era um tipo de má catadura e não melhor reputação, a quem chamavam tão somente de Barão, sem que nenhum título nobiliárquico justificasse semelhante tratamento. O seu prestígio político no local advinha tanto do grande número de cabeças de gado como de eleitores que mantinha em seus respectivos

---

*Neologismo criado pelo Autor, como modesta contribuição ao idioma pátrio, para suprir uma lacuna do léxico relativa à acepção que os povos de língua inglesa dão à expressão "flashback". (*N. do A.*)

currais. Sendo o Barão homem soez, tencioneiro e pimpão, vivia em desaguisados com todos que o cercavam e lançava-se à porfia por questão de dá cá aquela palha.

A palha, no caso, vinha a ser uma nesga de terreno onde o pintor houvera por bem lançar a sua hortinha, junto ao córrego que por ali passava em curva caprichosa. Mais caprichoso ainda era o gado do vizinho que, na preguiça de buscar água do outro lado do pasto, onde o mesmo córrego ia ter, transpunha a frágil cerca do pintor para dessedentar-se ali mesmo, destruindo a horta do homem em grandes pisadas e cagadas. De pasto do seu gado, o terreno alheio foi-se transformando para o Barão em pasto de sua cobiça. Em breve estabelecia como divisa do terreno o próprio córrego e mandou seus peões completarem o trabalho dos animais na destruição da cerca, anexando arbitrariamente ao seu o terreno conquistado pelos cascos.

Certa manhã, quando Raspe acordou e chegou à janela, deu com uma vaca a ruminar tranquilamente seu último pé de repolho, ali mesmo, debaixo do seu nariz, do outro lado do córrego, onde outrora costumava plantar o que comia. Não me consta que as vacas comam repolho, senão apenas capim, mas também não me parece verossímil que o pintor em sua horta cultivasse capim — detalhe, de resto, perfeitamente despiciendo para a compreensão deste episódio. Indignado, Raspe passa a mão numa velha espingarda de dois canos e dá um tiro de carga dupla para o ar, no intuito de espantar de seus domínios a intrusa. Mas não o fez tão para o ar como pretendia, e o tiro cobriu o terreno, a vaca, a elevação do pasto e foi acertar de cheio nos cornos de outro ruminante mais distanciado, que era mantido em estábulo especial. Tratava-se de outra vaca, recém-parida esta, valiosíssimo exemplar zebu-indiano a ser exibido na exposiçao para provavelmente conquistar o primeiro prêmio.

Um camarada do sítio do pintor veio trazer a notícia do acontecido: o tiro cortara os dois chifres pela base, tinha visto com seus próprios olhos:

— Ainda bem que seu Barão tá de viagem. Quando ele chegar, sai de baixo!

O pintor ficou seriamente preocupado. Estando a quizila dos limites já em litígio judicial, a dos chifres prometia trazer-lhe complicações bem mais graves. Corria o risco de perder o sítio inteiro, sem com isto indenizar nem a metade do que valia a vaca atingida.

— Estou arruinado — dizia Raspe, levando as mãos à cabeça.

Viramundo testemunhara o acontecido, e resolveu intervir:

— Para tudo existe jeito, quando por mal não foi feito.

O veterinário que acompanhara o parto da vaca estava na ocasião examinando uns leitões no sítio do pintor e se interessou pelo caso, resolveu ajudar:

— Vaca recém-parida é marrada certa.

— Não se cutuca boi com vara curta — sentenciou o grande mentecapto. — E vaca muito menos.

À noite, em companhia do veterinário, Viramundo foi furtivamente até o estábulo da vaca que, depois de ter sido posta a dormir com uma injeção de anestésico, recebeu de volta o seu par de chifres com o auxílio de um pouco de cola que o pintor preparara.

E agora, ali diante da assistência estarrecida no campo da Exposição Pecuária, eram aqueles mesmos chifres que Viramundo erguia no ar em triunfo, de costas para a vaca, que, sem

175

seus adornos, ficara completamente avacalhada. Ao dar com os olhos na sua Marília, que, como os demais, aplaudia-o entusiasmada, ele fez uma reverência, como um toureiro diante da presidência das corridas. Ela acenou para ele, rindo, divertida, e pedindo-lhe que se aproximasse. Ele, porém, limitou-se a fixar nela um olhar que era a um tempo mensagem de amor e de despedida para sempre. Depois voltou-lhe as costas e perdeu-se na multidão.

Q UANDO Dona Maria Eudóxia tapava o último pote do doce de manga que fizera naquele dia, na sua casa em Leopoldina, deu com um vagabundo a espiá-la lá na porta da cozinha. Achou graça no olhar doce que ele esticava para o doce.

— Quer um pouco? — perguntou, pensando em lhe dar um restinho que não coubera no pote. Mas sua experiência da vida fez com que ela fosse mais longe: aquele olhar comprido de cachorro vadio era fome, não tinha dúvida.

— Entre — convidou. — Vou lhe dar alguma coisa para comer.

Pôs na mesa da cozinha um resto do empadão de galinha que sobrara do almoço.

— Pronto. Pode comer tudo, se quiser. Como é o seu nome?

Ele, já sentado à mesa e devorando a torta, retirou o garfo da boca para responder:

— José Geraldo Peres da Nóbrega e Silva. Mas sou conhecido por Viramundo.

— Conhecido aonde?

— Por aí. Pelo Brasil inteiro dentro de Minas Gerais. E a senhora, qual é a sua graça?

— Maria Eudóxia — e ela sorriu, encantada com a educação do vagabundo.

— Muito prazer, Senhora Dona Maria Eudóxia. Quem tem coração aberto, de Deus está sempre perto.

— Bonito, isso que você falou.

— Obrigado. Eu sei falar uma porção de coisas assim.

Viramundo acabou de comer o empadão, limpou a boca com as costas da mão, lavou o prato na pia da cozinha e depois pediu licença para se retirar.

— Onde é que você mora? — perguntou Dona Maria Eudóxia.

— Ainda não fixei paradeiro.

— Gostei de você — disse a boa senhora, olhando-o com a doçura de seus doces de manga. — Eu sou assim, sabe? De certas pessoas gosto à primeira vista. Quantos anos você tem? Parece tão menino...

— Eu tinha vinte, mas isso já faz muitos anos.

— Você não tem pai nem mãe?

— Eu tinha, mas também faz muitos anos.

— Quer ficar morando aqui? Tem um quartinho ali nos fundos...

— Muito obrigado, senhora dona, mas no momento estou desprevenido, de modo que não posso assumir essa despesa.

— Não precisa pagar nada não. É de graça. Você paga me ajudando nos doces: apanhando manga e vendendo os potes. Moro aqui sozinha com a Sá Rita cozinheira, mas essa negra é imprestável que só vendo.

Eu não estaria transcrevendo na íntegra o diálogo entre Viramundo e essa senhora, se não fosse pela esperança de surpreender nele alguma eventual referência que ela acaso fizesse à nossa relação de parentesco — pois se trata nada menos que de minha tia — dando-me, assim, oportunidade de mencionar meu pai e meu avô. Como nada falou ela (embora lhe deva informações valiosas sobre a passagem de Viramundo pela cidade), falo eu:

Meu avô Nicolau, italiano de nascença, era dono do Salão Recreio, um bar com pitoresco caramanchão na antiga rua 1º de Março, local também conhecido como Praça do Ginásio, com uma tabuleta à entrada em que, para não vender fiado, ele se valia da célebre advertência de Dante:

Lasciate ogni speranza voi ch'entrate.

Importava barris de Chianti da Itália e foi o introdutor do sorvete em Minas Gerais, no ano de 1892, para o que fazia vir do Rio, pela Estrada de Ferro Leopoldina, blocos de gelo encaixotados e protegidos por serragem (a metade se derretia pelo caminho). E meu pai, Seu Domingos (antes de casar-se com a suave Dona Odette), inspirado mais pelo vinho que pelo sorvete, juntou-se a um farmacêutico de nome João Teixeira e abriu uma fábrica de Soda e de Água de Selters — precursora, portanto, da alka-seltzer. Dos dois feitos muito me orgulho. Perdão, leitores.

Dito o quê, informo que Viramundo passou a morar no quartinho dos fundos da casa de tia Maria Eudóxia (posso, daqui por diante, chamá-la assim), a apanhar manga no pomar e a vender na rua os potes de doce que ela fazia, deliciosos, por sinal. Havia na cidade um vendedor de cocada tido por Chico Doce, muito estimado de todos e a quem Viramundo logo se afeiçoou. Como o grande mentecapto, Chico Doce não era lá de beber nem fumar, e sendo religioso, rezava em voz alta o dia inteiro, repassando as contas do rosário no bolso, enquanto Viramundo declamava, também em voz alta, os versos do poeta que ali viveu e morreu:

— *Hoje é amargo tudo quanto eu gosto:*
A bênção matutina que recebo...

Os que viam a dupla pela rua com seus doces, um rezando, outro declamando poesia, achavam graça, apontando:

— Lá vão os dois doces...

Um dia o Doce de Manga disse para o Doce de Coco:

— *Se algum dia o Prazer vier buscar-me*
Dize a esse monstro que eu fugi de casa!

— Você vai embora?

— Vou. Estou me despedindo.

— Para onde?

— *Para onde fores, pai, para onde fores*
Irei também, trilhando as mesmas ruas...

No mesmo dia prestou conta a tia Maria Eudóxia dos doces que vendera, não quis receber um tostão. E despediu-se dela, comovido:

— *A minha sombra há de ficar aqui.*

Ela também perguntou para onde ele ia, e ele respondeu simplesmente, em prosa mesmo:

— Vou cumprir o meu destino.

E depois de dizer adeus ao poeta em seu túmulo, como era de hábito (um jazigo humilde e rústico onde se lia "Augusto dos Anjos — poeta paraibano"), desapareceu sem deixar vestígios.

DIZEM QUE, A PARTIR daí, foi visto certa ocasião em Cataguases, mas temo que o estivessem confundindo com o romancista Rosário Fusco, a quem de uma feita cheguei a procurar para colher informações. Ele me respondeu rindo:

— Conheci Viramundo muito bem, mas não te conto nada, pois minha grande aspiração é um dia escrever sobre ele.

A ser verdade, infortunadamente o romancista morreu sem realizar o seu intento, que acabei assumindo. Outro ilustre filho de Cataguases, o César, de prenome Viterbino, intrépido historiador que foi parar nos pagos do Sul, me assegurou com firmeza:

— Era o Fusco mesmo. Nunca existiu viramundo maior do que ele. A não ser Dounê, o ilustre desenhista!

Ao que o contista Chico Inácio acrescenta:

— Viramundo e Fusco eram dois num só.

Há também em Minas quem chegue a afirmar que Viramundo era irmão mais moço de Diadorim, mira e veja! Nonada. Alan Prateado, outro celebrado romancista das Alterosas, afirma com segurança:

— Sei que existiu, porque lá em Patos de Minas, quando eu era menino, até se cantava uma musiquinha dedicada a ele, assim: *Oi, cadê Viramundo, pemba...*

— Não é *pomba* não? — pergunto, tomando nota.

— Não. É pemba mesmo — assegura o romancista, que sabe o risco do bordado.

Em Curvelo, encontro traços substanciais da presença do grande mentecapto. Dizem eles de uma noite passada por Viramundo na própria casa assassinada por Lúcio Cardoso em sua famosa crônica — noite esta que, depois de haver eu mencionado tantas sumidades no campo das letras, atira-me aos ombros grande responsabilidade ao tentar descrevê-la.

Constava que a tal casa de Curvelo, na realidade uma chácara, era mal-assombrada. Viramundo, na noite que ali pernoitou, teve oportunidade de verificar que realmente assim era. Não foi como o fantasma do casarão do Matola em São João del Rei, onde ensaiava a Euterpe Lira de Ouro, que não passava de um simples gambá.

Num botequim da cidade, onde, como de costume, Viramundo entrara para pedir um copo d'água, um bêbado falava no fantasma que vivia naquela chácara. O grande mentecapto se interessou, e ficou sabendo que se tratava do espectro de uma mulher, estrangulada pelo marido no princípio do século. Ele fugira em seguida e o corpo dela ficou dias e dias abandonado no casarão vazio até ser encontrado pela polícia. A alma penada jamais repousaria enquanto não surgisse alguém que passasse a noite com ela. Todas as noites ia postar-se na varanda, numa longa camisola branca, cabelos soltos ao vento, as órbitas vazias voltadas para a curva da estrada, aguardando eternamente. Assim rezava a crônica fantasmagórica de Curvelo.

Viramundo resolveu verificar o fenônemo com seus próprios olhos — fosse como fosse, a chácara, pelo que diziam, lhe parecia um lugar tão bom como outro qualquer onde se abrigar. E naquela mesma tarde se dirigiu para lá.

A casa parecia suspensa na luz trêmula, e tudo afastava de si, em esquisito encantamento...

...Não se distinguia sequer um suspiro, e a morte parecia realmente percorrer com lentidão aqueles grandes espaços...

...As almas tinham fugido, espantadas pela luta violenta e irreal do negro e da luz...

...Mas, havia entre todos um quarto fechado, guardando ciosamente dentro de si um bloco de penumbra, onde em tranquila reserva se escondia o segredo da vida...

As frases transcritas acima são da primeira página de um dos dois romances de Nico Horta, em que o consagrado escritor mineiro descreve casa semelhante à que Viramundo encontrou. Tomei-as de empréstimo porque me falecem recursos para fazê-lo com tanta arte.

Viramundo vasculhou o primeiro andar da casa, e nada viu que pudesse denunciar a presença da tal mulher assassinada. Não havia móvel algum, e o tempo deixara as suas marcas por toda parte: grandes manchas de umidade nas paredes e no teto, cujos caibros já se despregavam, vidros partidos nas janelas, teias de aranha no ângulo das portas, soalho de tábuas apodrecidas, rinchando sob os pés. O grande mentecapto, como sempre, escolheu um canto pequenino onde se abrigar, desta vez um vão da escada que levava ao segundo andar, e que não chegou a subir, menos por qualquer espécie de temor que por achar tão precários os degraus carcomidos e o corrimão despregado, que poderiam mesmo ruir sob seu peso. Munido de um toco de vela e de uma caixa de fósforos que agora se acrescentavam a seus pertences, ao cair da noite ajeitou-se para dormir, cansado que estava de tanto que caminhara naquele dia — sendo certo que não consegui apurar de quão longe viera ao ali chegar.

Dormiu um sono perturbado, cheio de presságios e visões. Sonhou com a casa de sua infância em Rio Acima, o Armazém

Boaventura — Secos e Molhados. Seu irmão Breno já à frente do negócio, quando deixara a cidade. E o pai, os bigodes lusitanos retorcidos, a olhá-lo com uma ponta de ternura, Dona Nina acolhendo-o nos peitos fartos com carinho. De súbito uma tempestade furiosa fustigava de vento e de chuva o seu sonho, arrastando tudo de roldão por uma correnteza que o levava, e a água o envolvia de todos os lados, ele se sentia afogar... Acordou sobressaltado ao clarão de um raio e viu que lá fora realmente chovia e o vento chicoteava a copa das árvores, silvando doidamente, enquanto uma veneziana, já meio aos pedaços, era sacudida com violência de um lado para outro. Ficou de pé, apoiando-se à parede, e ouviu um tatalar de asas no escuro, algo frio e viscoso roçou seu rosto e o morcego se foi às tontas pela janela. Ao erguer os olhos, viu num relance, à luz de outro raio, no alto da escada, junto ao primeiro degrau, o vulto branco de uma mulher a olhá-lo.

Teria sido ilusão? Esfregou os olhos, tornou a olhar: não viu mais nada. E nem podia ver, na escuridão em que se achava mergulhado. Procurou nos bolsos o toco de vela e os fósforos, custou a conseguir que um se acendesse, úmidos que se achavam. Em seguida, à luz vacilante da vela, ele, a quem Deus poupara o sentimento do medo, começou a subir os degraus carunchados, cuidadosamente, experimentando com o pé a resistência de cada um antes de galgá-lo. Ao chegar ao topo da escada, justo no lugar em que julgara ter visto a aparição, ouviu de súbito uma estridente e sinistra gargalhada de mulher, tão bestial e horripilante, que se ele não chegou a se abalar, eu próprio mal ouso continuar o meu relato. Sinto meus cabelos se arrepiarem ao ver Viramundo, absolutamente imperturbável, em vez de despencar escada abaixo como eu na certa faria, avançar destemidamente por um corredor de onde lhe parecera ter vindo a medonha gargalhada, guiado apenas pela precária luzinha de seu toco de vela. Ao chegar diante do tal quarto fechado, a que se refere uma das frases por mim transcritas, torceu a aldraba enferrujada e empurrou a pesada porta, que se abriu lentamente, rangendo nos gonzos. No mesmo instante uma lufada de vento apagou a chama da vela.

Viramundo ficou parado à entrada, irresoluto, devolvido à escuridão, quando uma voz quase inaudível, sussurrada do fundo do tempo, chamou lá do quarto:

— Entre, meu filho.

INTERROMPI O MEU relato em obediência a uma das regras fundamentais do gênero gótico, segundo a qual devemos mudar de assunto abruptamente no ponto crucial da narrativa, a fim de tirar o máximo de efeito do suspense, e mais tarde retornar a ela por um outro ângulo. O outro ângulo, no caso, só pode ser o do fantasma.

Assim que a mulher assassinada pelo marido no princípio do século viu entrar nos seus domínios a figura também meio fantasmagórica daquele vagabundo, ficou muito apreensiva. Como ousas? — pensou consigo, antes de volatilizar-se para ver de perto de quem se tratava. Vestiu seu camisolão branco para espantar este último intruso, como já nem precisava mais fazer para outros raros que apareciam, pois estes davam uma olhada rápida de turista e saíam vendo fantasmas. Foi até o alto da escada, abriu os braços e assim mesmo no escuro mostrouse em toda a sua espectral horripilância. Pois o estranho indivíduo, em vez de fugir devidamente horripilado, como era de se esperar, não é que acende um toquinho de vela e vem subindo a escada? Teve medo, ela sim, teve medo de no mínimo ser de novo assassinada. Quem seria aquela sinistra aparição que não tinha medo de fantasmas, nem se impressionara com a lenda de sangue que era o pavor dos forasteiros? Deu meia-volta e fugiu para o corredor, onde ficou encolhida num canto, tremendo de medo. Quando viu que ele vinha mesmo, desistiu de apelar para ruídos de correntes ou de passos, gemidos e sussurros, ou quaisquer outros procedimentos fantasmagóricos, partindo logo para o recurso mais eficaz, que era a gargalhada infernal. Nem assim aquele louco desistiu. Chegou a pensar se não se trataria de um fantasma. Então correu para o quarto, no qual não podia se trancar, porque a aldraba, que era um tributo aos romancistas capazes de se lembrar de semelhante palavra, só se abria pelo lado de fora, o que vinha a ser um contrassenso, pois trancando-se lá dentro, qualquer um podia entrar e ela não podia sair — a não ser que passasse através das paredes, número que não fazia parte do seu repertório. E já que ele abria a porta, não lhe restava senão mudar de técnica e procurar atraí-lo, o que imediatamente fez, devolvendo-nos ao capítulo anterior, pois o chamou em voz sussurrada:

— Entre, meu filho.

A escuridão era tanta, que na hora Viramundo se lembrou da última pergunta do professor Praxedes no debate em praça pública, já fazia tanto tempo: eu sou teu filho mas tu não és meu pai. Quem era então?

— Quem é a senhora? — perguntou ele.

Você o que é? — perguntava o Dr. Pantaleão, diretor do hospício de Barbacena. Adamastor responderia: eu sou aquele

oculto e grande cabo, a quem chamais vós outros Tormentório.
A voz — porque até aquele instante Viramundo não tinha
como testemunha da presença de alguém naquele quarto senão a voz — não respondeu nada. Então ele riscou calmamente
um fósforo e tornou a acender o seu toco de vela. A princípio
não viu senão sombras vagas que dançavam como duendes nas
paredes do quarto, enquanto ele avançava, protegendo a chama com a mão. Mas em pouco pôde distinguir um catre onde,
metida num enorme e encardido camisolão branco, uma velha, estendida lascivamente como uma messalina, sorria para
ele num sorriso desdentado:

— Eu sou a moça assassinada — grasnou ela, e acenou
para ele, fazendo trejeitos sensuais: — Vem cá, vem...

Viramundo pensou rapidamente que se ela fora assassinada no começo do século, como dizia o cachaça naquele botequim, então devia ser mesmo muito velha.

— Não diga bobagem — reagiu ele. — Se a senhora foi
assassinada não estaria viva, isto é uma incongruência.

— Eu morri — protestou a velha bruaca. — Sou o fantasma da moça. E aquele que dormir comigo...

— Tem cabimento, vovó, na sua idade? Que é que a senhora está fazendo nesta casa?

A velha entregou os pontos com um muxoxo:

— Eu vivo aqui.

— Se vive é porque não morreu, está vendo? Há quanto
tempo?

— Desde que a moça foi assassinada.

E a velha soltou um risinho:

— Ele matou a mulher por minha causa...

Sem se abalar, Viramundo sentou-se no chão sobre as pernas cruzadas, botou a vela entre os dois e pediu:

— Me conte essa história, vovó.

A velha bruxa, numa vozinha de nhem-nhem-nhem, começou a desfiar a sua história, longa demais para que eu a reproduza aqui. Disse, em resumo, que era criada da sinhá-moça já lá se iam tantos anos que até perdera a conta, e sendo ambas jovens, formosas e louçãs, logo o dono da casa começou a dividir com ela os carinhos que dispensava à esposa. Aos poucos essa divisão foi deixando de ser equilibrada e imparcial, merecendo ela muito mais do que a patroa. Esta desconfiou e resolveu mandá-la embora. Profundamente apaixonado, ele protestou, confirmando as suspeitas da mulher. Discutiram, brigaram, ela o ofendeu, ele perdeu a cabeça e esganou-a. Depois fugiu para sempre.

— E eu fiquei aqui esperando que ele um dia voltasse. Para que não me descobrissem, acabei me transformando em assombração.

Q UANDO O ABANTESMA encerrou a sua história que, como disse, era longa, cheia de passagens arrepiantes e digressões românticas que eu não saberia reproduzir, Viramundo deixou o casarão. Soube que saiu de Curvelo ao amanhecer — alguém o viu caminhando pela estrada que leva a Santana do Rio Verde. Mas antes que eu descobrisse onde diabo ficava essa cidade mineira, tive ocasião de detectar sua passagem por outras, a saber:

Em Itaúna privou das relações dos dois irmãos gêmeos (embora usassem sobrenomes diversos) ali nascidos, verdadeiro patrimônio cultural da cidade, tal o fantástico conhecimento enciclopédico de ambos, que juntos se completavam, indo o primeiro, Marco Moura, da letra A à letra L, e o segundo, Aurélio Matos, da letra M à letra Z. Com eles Viramundo hauriu profundos ensinamentos humanísticos, que muito contribuíram para a sua sabedoria a partir de então.

Em Itajubá via sempre um velho de cabeça branca e jeito austero pachorrentamente sentado na varanda. Um dia lhe disse da rua:

— Eu já vi uma nota de dinheiro com um retrato de Vossa Excelência.

Em Ponte Nova conheceu e ficou amigo do homem que mais gostaria de ter sido. E nessa época Milton Campos ainda não era o que chegou a ser.

Em Brejo das Almas encontrou pela primeira vez o poeta maior e em Itabira prestou-lhe homenagem, de joelhos diante do sino da igreja que o batizou, rendendo graças à poesia e ao sentimento do mundo que ela lhe deu.

Em Sabará não chegou a morar na célebre pensão das três gordas. As gordas tinham morrido de enfiada e a casa fora parcialmente demolida a machado pelo último hóspede, um tal chamado João Ternura, e sua irmã Lúcia, obra consumada mais tarde por um fidalgo de nome Rodrigo, que acabou de tombá-la.

Em São Lourenço bebeu água mineral num copinho onde estava escrito "Lembrança de Caxambu", pensando estar em Cambuquira bebendo água de Lambari.

Em Januária bebeu um copo de cachaça que lhe deram como se fosse água e depois pulou no São Francisco e nadou até Carinhanha, na fronteira da Bahia. Por causa desta façanha, a referida cachaça ganhou o seu nome.

Em Monte Santo conheceu um tal de Castejão que era preto e ficou branco.

Em Três Corações, vale seis! aprendeu a jogar truco.

Em Araxá se purificou tomando banho de lama.

Em Vila do Príncipe tomou uma carona no caminhão de Jorge França Júnior, um brasileiro.

Em Caratinga conheceu o filho do pai do Etienne.

Em Carmo de Minas, Rubião, o filho da mãe do Murilo.

Em Ubá, o Aryba Roso.

Em Nova Lima chupou lima com Eloy Lima.

Em Passa Quatro passou em brancas nuvens.

Em Mar de Espanha aprendeu a navegar.

Em Pedro Leopoldo pintou e bordou.

Em Passos fez isso e aquilo.

Em Pirapora fez assim e assado.

Em Poços de Caldas fez e aconteceu.

Em Pará de Minas.

Em Paracatu.

Em Formiga.

Em Sete Lagoas.

Em Araguari, Uberlândia, Varginha, Muzambinho, Carangola, Abaeté, Alfenas, Baependi, Barão de Cocais, Caeté, Belo Vale, Boa Esperança, Morada Nova, Chapéu d'Uvas, Divinópolis, Pitangui, Grão-Mogol, Ituiutaba, Bom Despacho, Lavras, Ouro Fino, Viçosa... Chega! Em toda parte. Ai, Viramundo de minha vida, que vira Minas pelo avesso sem revelar aos meus olhos o seu mais impenetrável mistério. Ai, Minas de minha alma, alma de meu orgulho, orgulho de minha loucura, acendei uma luz no meu espírito, iluminai os desvãos do meu entendimento e mostrai-me onde se esconde esse vagabundo maravilhoso, esse meu irmão desvairado que no fundo vem a ser o melhor da minha razão de existir. Foi ele, esse iluminado de olhos cintilantes e cabelos desgrenhados que um dia saltou dentro de mim e gritou basta! num momento em que meu ser civilizado, bem penteado, bem-vestido e ponderado dizia sim a uma injustiça. Foi ele quem amou a mulher e a colocou num pedestal e lhe ofertou uma flor. Foi ele quem sofreu quando jovem a emoção de um desencanto, e chorou quando menino a perda de um brinquedo, debatendo-se na camisa de força com que tolhiam o seu protesto. Este ser engasgado, contido, subjugado pela ordem iníqua dos racionais é o verdadeiro fulcro da minha verdadeira natureza, o cerne da minha condição de homem, herói e pobre-diabo, pária, negro, judeu, índio, cigano, santo, poeta, mendigo e débil mental, Viramundo! que um dia há de rebelar-se dentro de mim, enfim liberto, poderoso na sua fragilidade, terrível na pureza da sua loucura.

Até que descobri onde ficava Santana do Rio Verde.

QUE NÃO PASSAVA de um mero distrito de Montes Claros. Isso de Santana do Rio Verde era arte e manha de um cujo de nome dos Arcanjos, dito Belmyro, que nasceu lá e depois de se apaixonar pela menina do sobrado (o único existente então no lugar), mudou-se para a capital onde, de amanuense, passou a escriba maior da montanha, laureado e aclamado. Esse cujo, que andava por lá na época, involuntariamente lançou Viramundo no caminho de uma aventura em Montes Claros que por pouco não deu com ele morto e enterrado no cemitério local — pois foi quem o apresentou à donzela Marialva:

— Quero que você conheça essa deidade.

Marialva, que de donzela (pelo menos na acepção mineira da palavra) tinha apenas os seus dezoito anos, estava parada à porta da pensão onde residia e atuava, quando os dois iam passando e se detiveram. Viramundo havia abordado o beletrista Belmyro, pedindo uma informação. Ficaram de conversa, e vieram discreteando do Largo de Cima ao Largo de Baixo. Depois de apresentar-lhe a deidade, Belmyro se foi, muito de indústria, deixando os dois a sós: achara que o ar famélico de Viramundo denotava fome tanto de comida como de amor e, tendo simpatizado com ele, depois de dar-lhe uns cobres de mão beijada, achou que ele podia despendê-los com a Marialva, que bem os merecia.

A moça, que também achara graça em Viramundo, convidou-o a entrar para conversarem na sala, pois a dona da pensão não gostava que as suas inquilinas ficassem no portão.

— Muito obrigado, senhorita — escusou-se ele, com uma delicada mesura —, mas estou propenso no momento a fazer uma ligeira refeição, pois não tenho tido oportunidade de comer ultimamente. Para isso disponho de uns dinheiros que o senhor dos Arcanjos me propiciou. Aliás, agradeceria se a senhorita me indicasse um local onde possa fazê-lo, pois ainda não conheço bem a cidade.

Marialva, divertida com aquela maneira complicada de falar, se dispôs a acompanhá-lo. Como Viramundo acedesse, deu-lhe o braço e o conduziu a um lugar das proximidades, onde, entre outras coisas, serviam refeições ligeiras, como ele desejava.

191

E assim, de braços dados, empertigado ele, sorridente ela, como um casal de noivos, o grande mentecapto e a jovem meretriz deram entrada no Taco de Ouro, animado botequim onde se comia, bebia e jogava sinuca nas mesas ao fundo, reduto da mais fina flor da malandragem naquela zona. Foram aclamados com uma salva de palmas que a Viramundo não causou a menor espécie, mas que a Marialva deixou ligeiramente perturbada, sem que soubesse a razão, acostumada que estava a semelhantes patuscadas.

Sentaram-se a uma mesa e estavam saboreando um sanduíche de mortadela, quando alguém se debruçou sobre o ombro dela, e disse, em tom de advertência:

— Montalvão esteve aqui procurando você.

— Quem procura acha — tornou ela, com um gesto de menosprezo.

Em pouco era o próprio garçom que vinha dizer:

— Se eu fosse você sumia daqui, que o Montalvão ficou de voltar.

Marialva tornou a dar de ombros. Cinco minutos não eram passados e uma mulher loura que acabara de chegar ao botequim veio avisar, sem que ela tampouco se incomodasse:

— Encontrei o Montalvão e ele mandou dizer que você não perde por esperar.

Quando acabaram de comer, Viramundo, alheio a tudo, chamou o garçom para pagar a conta com o que lhe havia dado o generoso Belmyro, certamente insuficiente mesmo para refeição tão ligeira como aquela — pormenor do qual ele nem teve tempo de tomar conhecimento. No momento exato em que Marialva levava o copo aos lábios, uma poderosa manopla a segurou pelo pulso e torceu-o, fazendo cair na toalha um resto de cerveja preta:

— Você vem comigo — ordenou uma voz autoritária por cima do seu ombro.

Era o Montalvão.

Quando Marialva foi forçada por ele a se erguer, alguém junto ao balcão dizendo "eu bem que avisei" e comentários cautelosos circulando em voz baixa entre os fregueses, subitamente Viramundo se ergueu também, de maneira tão brusca que a cadeira tombou para trás:

— O senhor faça o favor de largá-la — falou em voz alta.

O silêncio que se fez no botequim foi tão repentino como o que baixava no salão quando Tom Mix empurrava a porta de vaivém nas fitas de cinema em Rio Acima. Montalvão, um homem troncudo e de maus bofes, de botas, casaco de couro, camisa xadrezinho, chapéu de vaqueiro e lenço no pescoço grosso, a cara furada de bexigas e pequeninos olhos maus, limitou-se a olhar Viramundo com curiosidade e surpresa, perguntando a Marialva, a apontá-lo:

— Quem é esse zé molambo?

— É um amigo meu — desafiou ela, erguendo a cabeça.

Montalvão largou-a, pondo as mãos na cintura:

— Um amigo seu? Uai, você agora deu pra recolher mendigo em porta de igreja?

E como ele desferisse uma gargalhada, sendo desses que soltam o foguete e apanham a vareta, ao redor os outros o secundaram, rindo também, e aliviando um pouco a tensão ambiente. Montalvão tornou a agarrá-la pelo braço e puxou-a:

— Vamos embora.

— Largue a moça — ordenou Viramundo novamente, postando-se diante dele.

Montalvão se limitou a espalmar a mão no peito do mentecapto, com ar aborrecido:

— Ora, vá ver se eu estou ali na esquina — e empurrou-o com violência.

Viramundo atravessou de costas todo o botequim, arrastando na sua queda várias cadeiras e respectivos fregueses, e foi cair estendido em cima de uma das mesas de sinuca ao fundo, interrompendo animada partida, que já estava pela bola sete. Logo verificou que Montalvão não estava ali na esquina. Recuperando-se, saiu em desabalada carreira quando o outro já arrastava Marialva consigo, para deixar o botequim, e se atirou sobre ele, cavalgando-o com destreza.

O brutamonte não contava com essa, nem sabia que o grande mentecapto fora da cavalaria: por pouco não vai ao chão com aquela inesperada carga no lombo. Em vão rodopiava, corcoveava, escoiceava e relinchava: o cavaleiro, juntando firmemente as pernas em suas ilhargas e agarrado ao lenço no pescoço como num bridão, estava cada vez mais seguro. Agora todos no botequim riam às gargalhadas do sucesso de Viramundo e gritavam upa! upa! num ambiente de grande excitação ante aquele inesperado espetáculo de rodeio. Erguendo as patas dianteiras como uma montaria prestes a bolear, Montalvão recuou, até que Viramundo batesse violentamente com as costas contra a parede, e só assim logrou desmontá-lo. Caiu sobre ele de pancada e pontapés:

— Agora eu te ensino a montar na puta que te pariu.

Quando finalmente o destacamento policial da zona irrompeu no Taco de Ouro quase todo destruído, Viramundo estava estendido no chão do botequim em lastimável estado, e o adversário montado sobre ele, ainda a castigá-lo. Marialva chegou a quebrar uma garrafa de cerveja em sua cabeça, sem que ele se abalasse. Foi preciso o concurso de quatro policiais para imobilizar o feroz Montalvão e levá-lo preso.

Marialva conduziu o grande mentecapto até seu quarto e cuidou dele com um desvelo de esposa: deitou-o em sua cama, pôs-lhe compressas de água com sal no rosto, deu-lhe malvona a bochechar, passou-lhe óleos e unguentos pelo corpo dolorido.

— Daqui a pouco você vai estar melhor — dizia ela. — Ainda foi de muita sorte que ele não tivesse te matado. Nunca vi ninguém valente como você!

E passava-lhe carinhosamente a mão pelos cabelos.

Aturdido, Geraldo Viramundo recebia aquele carinho sem entender o sentimento poderoso que se desencadeava em seu ser, transbordando do coração em grandes ondas, inundando-lhe todo o corpo com uma indefinível antecipação de felicidade e de prazer.

— Por que está fazendo tudo isso por mim? — perguntou, na singeleza de sua escassa compreensão.

— Porque eu gosto de você — respondeu ela simplesmente.

— De mim, que não sou digno nem de desatar a correia de seus sapatos?

A moça ria, olhando-o sem entender, como de resto não entendia outras coisas engraçadas que ele falava.

Sentindo-se melhor, e como se fizesse tarde, ele quis erguer-se da cama para partir. Tranquilizada porque o rufião que a explorava certamente não sairia da prisão tão cedo, dadas outras contas que teria de prestar à justiça, Marialva resolveu suspender seu expediente daquela noite e insistiu para que

Viramundo ficasse. Pelo menos não partisse assim tão tarde, esperasse pela manhã seguinte. Viramundo concordou.

Ela deitou-se na cama a seu lado:

— Posso apagar a luz?

Abraçou-o no escuro, e ele acolheu-a em seus braços.

CAPÍTULO VIII

*Viramundo, em Belo Horizonte, entre retirantes, mulheres,
doidos e mendigos, cumpre o seu destino.*

—V OU PARTIR — disse ele.
— Fica — pediu ela, espreguiçando-se na cama.
— Não posso. Eu tenho de ir.
— Por que você tem de ir?
— Porque está chegando a minha hora.
— Para onde você vai?
— Para onde me levarem os meus passos.

Esse diálogo deveria constar do fim do capítulo anterior,
quando Viramundo partiu ao clarear o dia, como costumava
fazer. Razões de ordem técnica me levaram a transferi-lo para
cá. Achei que a conversa, pelo seu laconismo, não se coadunava
com a intensidade da cena que a antecedeu, à qual, por uma
questão de discrição e delicadeza, julguei de bom alvitre não
aduzir mais nada. Mesmo porque, mais nada eu poderia ver,
depois que apagaram a luz.

Por outro lado, não tenho como deixar o nosso herói na
cama de Marialva para sempre. Ele deve cumprir o seu destino, como bem o disse. E eu o meu, acrescento. Quanto mais

não seja, haveria uma razão que ele, na sua desrazão, podia ignorar mas eu não posso: o perigo de Montalvão ser solto de uma hora para outra e simplesmente acabar com o meu relato. Os leitores devem ter notado, e eu já disse alhures, que Viramundo não é mais o mesmo homem. Não que a luz do bomsenso tenha enfim prevalecido sobre os impulsos obscuros da sua demência. Ao contrário, de algum tempo a esta parte, principalmente depois da morte do cego Elias, qualquer coisa se apagou no seu espírito. O raio que coriscou na sua cabeça naquele instante, dando-lhe uma fulminante consciência da iniquidade que prevalece neste mundo, foi demais para a sua inocência, matou o menino que ele trazia dentro de si. Matou o menino.

Ele hoje é um homem. Quem o visse naquele trem sacolejante, vindo do sertão de Montes Carlos a caminho de Belo Horizonte, em meio ao amontoado de retirantes no vagão malcheiroso da segunda classe, não o distinguiria dos demais infelizes que o cercavam: rostos macilentos, corpos mirrados e sujos, crianças de nariz escorrendo e olhos remelentos, tudo sob aquela cor indefinível e encardida da miséria, olhares apáticos e o patético silêncio dos que já se acostumaram com o sofrimento. Viramundo é apenas mais um entre eles. Já não tem a barba rala e escassa dos vinte anos: com o tempo ela se tornou cerrada, endurecendo-lhe as feições. Em seu olhar brilha apenas aquela luz mortiça dos que nada esperam e não têm mais para onde ir.

No mesmo trem seguiam também algumas mulheres que Montes Claros demitira de seus quadros sociais. Isolavam-se como podiam dos retirantes e eram alegres, cantavam e se distraíam pelo caminho, contrastando com a tristeza que envolvia

198

seus miseráveis companheiros de viagem. Algumas delas reconheceram Viramundo, pois tinham assistido com entusiasmo à sua prova de valentia no botequim em defesa da Marialva, a quem conheciam e estimavam. Então o chamaram para o seu seio (no sentido figurado), deram-lhe um pedaço de frango com farofa. Dali por diante, a viagem lhe proporcionou entre elas alguns momentos de distração.

Ao chegar, os retirantes escorreram pela rua como uma corrente de detritos e foram para debaixo do Viaduto, engrossar o rio da miséria de Belo Horizonte, enquanto as mulheres iam suprir o mercado da zona boêmia, levando Viramundo com elas. Não ficaram todas num só lugar: espalharam-se pelas numerosas pensões e puteiros existentes por ali mesmo, a partir da praça da estação, segundo indicações e referências de amigas em Montes Claros. E foi naquele mesmo dia que Viramundo teve a primeira das três surpresas que a capital lhe reservava.

Por mero acaso se deixou ficar com as últimas companheiras de viagem a se albergarem. Uma, Marieta de batismo, passaria a se chamar Marion; outra, Maria das Dores, se chamaria Liliane; a terceira, Cleonice, já se chamava Brigite. Esta Brigite fora a que o convocara no trem e o pusera à vontade entre as outras. Era uma louraça decidida e despachada, ancas largas e peitos bem nutridos, cujos encantos femininos residiam exatamente na sua boa disposição de espírito, sempre alegre e bem-humorada, disposta a fazer e acontecer. Logo se afeiçoou a Viramundo e a afeição foi mútua: o grande mentecapto sentiu que contaria com ela em quaisquer circunstâncias, o que pôde comprovar mais cedo do que esperava.

Quando Viramundo se viu à frente da dona da pensão em que as três ficariam, não se deu a conhecer, e nem ficou sequer surpreendido, ao ver de quem se tratava, embora os estragos que o tempo lhe trouxera: não era outra senão a própria viúva Correia Lopes, de nome Petronilha,* em Mariana naquela época referida como Peidolina. Agora se dava a conhecer simplesmente como Dona Lina, nome que será por mim perfilhado neste relato daqui em diante, por mais compatível com a gravidade dos acontecimentos que terei de narrar e nos quais ela terá a sua parte.

A pedido de Brigite, Dona Lina admitiu que Viramundo ficasse morando no barracão ao fundo do quintal, como zelador da limpeza e da boa reputação da casa, sem trocadilho.

— Já me disseram que você é valente e de confiança — arrematou a cafetina.

POR ESSA OCASIÃO, três providências administrativas foram sucessivamente tomadas pelo governo, acarretando graves consequências para a ordem pública da capital, com repercussões no interior, até os extremos limites da Província de Minas Gerais. A primeira delas se relacionava à decisão, tomada pelo próprio Governador Ladisbão, de extinguir os antros de meretrício do centro da cidade, transferindo-os para local em que o decoro público não fosse ameaçado. A medida decorreu do incidente em que se viu envolvida a própria primeira-

---

*Trata-se de evidente descuido do Autor. O nome da viúva Correia Lopes em Mariana era originalmente Pietrolina. (N. do E.)

dama, quando baixou das alturas governamentais para, incógnita, fazer compras nos armarinhos dos turcos da Rua dos Caetés, de sua predileção por serem mais barateiros, e foi confundida com a dona de uma pensão nas imediações.

A notícia correu a Rua Guaicurus como um rastilho, despenhando-se pelas transversais e adjacentes e botando em polvorosa toda a putaria mineira. Naquela manhã Viramundo tomava café com bolinhos de feijão em companhia de Dona Lina e algumas de suas inquilinas, quando Brigite chegou com a novidade:

— Vão mudar a zona de lugar. Vai ter de sair daqui.

As outras logo se acercaram:

— Vai pra onde?

— Pra casa da mãe Joana — disse uma.

— Pro cu da perua — disse outra.

Todas riram, menos Brigite, cujos olhos fuzilavam:

— Às vezes me dá vontade de fazer um estrago louco.

Marion, uma das que haviam chegado de Montes Claros com Viramundo, soltou um suspiro de cansaço:

— Pra mim pode ir até pra puta que o pariu, eu pouco estou me incomodando.

E sem ligar para o falatório animado das demais, começou a se lastimar:

— Não há quem aguente essa vida! Lá na minha terra era mais folgado. Aqui a gente não para! Pega daqui, pega de lá, e toma na frente, e toma atrás, e toma por cima, e toma por baixo, e cada cacete de meter medo, isso lá é vida de gente?

A revolta geral, porém, era com relação à mudança da zona, ninguém sabia para onde, e as mulheres se entreolhavam, apreensivas.

201

A partir daquele dia o ambiente é que mudou naquelas ruas. As autoridades haviam começado a fazer pressão, para forçar a mudança, impondo o cumprimento de leis havia muito esquecidas, e os fregueses, temerosos de complicação com a polícia, foram se tornando cada vez mais esquivos e raros.

Até o dia em que Dona Lina chamou Viramundo e, pesarosa, pois com o tempo passara a dedicar-lhe grande estima, informou que teria de mandá-lo embora:

— São ordens da polícia. Não podemos ter mais nenhum homem dentro de casa.

Antes que ele partisse, ela o chamou para acertar as contas.

— Não quero nada, Dona Lina. O que eu tenho me basta.

A cafetina olhou-o espantada, pois sabia que ele não possuía absolutamente nada de seu. Aos poucos os olhos dela foram se tornando antigos, e eram os da viúva Correia Lopes quando foi apedrejada em Mariana. Ela vacilava, sem saber se perguntava ou não. Afinal tomou coragem:

— Viramundo, um dia você disse que foi do seminário de Mariana. No meu tempo havia lá um moço, também seminarista, com um olhar puro como o seu, mas não usava barba, era quase um menino, podia ter uns dezoito anos...

— Sou eu mesmo, Dona Lina — disse ele apenas.

A antiga viúva Correia Lopes ficou confusa — no fundo sempre soubera que era ele, aquele jovem que a protegera contra a fúria da multidão. Abraçou-o, emocionada, respirando fundo para não chorar, pediu que ele ficasse:

— Pensando bem, talvez a gente dê um jeito...

— De mulher é que não me vestirei — respondeu ele, sério.

Ela chegou a rir, enxugando uma lágrima.

— Então conte comigo sempre. Naquilo que eu puder fazer por você...

Estas palavras de despedida tiveram mais importância num futuro próximo do que ambos estavam longe de poder imaginar.

D EBAIXO DO VIADUTO, do lado que fica entre a Rua da Bahia e o Parque Municipal, havia um valhacouto de indigentes: eram cegos, coxos, lázaros, bêbados, vagabundos e todos mais que costumam ser englobados na categoria genérica de mendigos. Pois ali, no desvão do Viaduto, eles se abrigavam, faziam suas necessidades e dormiam, sendo tácito que a polícia, nas rondas noturnas pela cidade para recolher desocupados, à falta de melhor ocupação, fazia por ignorar aquele antro, tantos eram os que ali seriam encontrados sem que se soubesse que destino lhes dar. Durante algum tempo as autoridades estiveram propensas a atirá-los no Rio Arrudas com uma mó ao pescoço, mas cedo renunciaram a esta solução, que seria ideal, não fora a circunstância de aos poucos aquele rio ter ficado deveras raso, não passando de dois palmos de água pútrida, na qual os mendigos, em vez de afogar-se, se ergueriam com pedra e tudo e voltariam para debaixo do Viaduto.

Com o tempo, começaram também a buscar refúgio sob o Viaduto as levas de retirantes escaveirados e famintos que os trens despejavam diariamente na estação ali perto, vindos das zonas mais pobres da Província de Minas Gerais, e eram praticamente todas.

Pois foi também no Viaduto que, numa noite de chuva, Geraldo Viramundo acabou buscando abrigo.

Desde que saíra da pensão de Dona Lina, andara rolando como pau de enchente pelas ruas da capital, surpreendido com a sua condição de grande cidade, tão diferente das que conhecera até então, e maltratado pela brutalidade de sua vida intensa e atormentada. A princípio buscou recantos mais tranquilos e aprazíveis nos arredores da cidade, onde não chegasse o bulício do centro, como a Pampulha ou o Acaba-Mundo (que acabou mesmo, este último, acrescentado à lista de alcunhas que o acompanharam ao longo da vida). Logo descobriria que tais lugares eram na realidade clubes de alta elegância e recreatividade, campestres e bucólicos, dos quais se via logo escorraçado como intruso. Buscou então os lugares públicos onde pudesse passar despercebido, misturando-se a outros párias como ele, e foi debaixo do Viaduto que se viu finalmente integrado à sua raça de gente. Chegara ao mais baixo degrau na escala social, além do qual só restavam os do vício, da delinquência e do suicídio. E mergulhara numa negra fase de completa e absoluta indiferença a tudo que o cercava.

Por essa época era desencadeada pelo governo a segunda providência de ordem administrativa entre as três a que me referi. As autoridades, como já se viu, não haviam encontrado no extermínio a solução para o problema da mendicância. Ora, uma luminosa inspiração do Governador Ladisbão, no momento em que tomava banho, fez com que Sua Excelência saltasse da banheira como Arquimedes a gritar Eureka! pelos corredores do Palácio. Convocou seus auxiliares e assim mesmo, completamente nu, expôs-lhes o seu plano, sem que ninguém pusesse reparo na nudez governamental, adeptos que eram todos do que preconizava a fábula do rei nu. Consistia a ideia do Governador em fazer construir um local fora da cidade especialmente destinado aos mendigos, onde seriam concentrados e de onde não pudessem sair. O perigo de que tal providência acabasse esvaziando a cidade e criando outra mais populosa, tal o número de mendigos, era um risco a enfrentar. Daí a ideia de chamar o local a ser construído de Cidade Livre dos Mendigos, valendo a ambiguidade da designação entre significar que os mendigos naquele local eram livres, ou que a cidade ficaria livre deles.

E assim se fez. E a partir de então as batidas policiais pelas ruas se intensificaram. Pôde enfim a polícia planejar a grande operação de recolher os abrigados sob o Viaduto, executada justamente na noite em que Viramundo ali foi ter.

Nem bem ele havia chegado, e se viu perdido no tumulto de mendigos e retirantes, compelidos por guardas armados, aos empurrões, a entrar nos grandes tintureiros que cercavam o local por todos os lados. Alguns protestavam, outros tentavam fugir e eram logo apanhados, as mulheres choravam, agarrando-se desesperadas aos filhos, como se os protegessem contra os centuriões de Herodes.

Ao contrário da maioria, o grande mentecapto se deixou levar sem resistência, como se tal procedimento fosse perfeitamente natural. Onde estava a chama que ardia em seu peito, de destemido amor à liberdade, que antigamente o levaria a morrer por ela? Eram cinzas — mas cinzas das quais em breve renasceria o Fênix da sua indomável rebeldia. Quando chegasse a sua hora.

Em meio aos outros, transportados como bichos naqueles estranhos veículos, foi levado até um descampado onde se erguiam compridos galpões de madeira e zinco, cercados de arame farpado. Depois do desembarque, que se fez também com alguns empurrões, os guardas conduziram todos ao local de triagem, um imenso pátio iluminado por poderosos holofotes, onde se viram separados em grupos de homens, mulheres e crianças. Alguns que já ali se achavam tinham a cabeça raspada e vestiam todos uma espécie de macacão azul, o que os tornava iguais uns aos outros como um rebanho de estranhos animais. Um entre eles lhe fazia sinais ansiosos, e acabou se aproximando furtivamente:

— Não está me conhecendo, Viramundo?

Viramundo o olhava, intrigado. De repente seus olhos se iluminaram: era o Barbeca! Como poderia reconhecê-lo se ele sempre fora barbado?

— Agora só falta usar uma peruca — disse Viramundo, reconfortado, abrindo-lhe os braços.

— Depois, depois — sussurrou o antigo vendedor de esterco, se esquivando ao abraço. — Cuidado, tem um guarda olhando. Aqui tudo é proibido.

Envelhecera, ou já era velho antes, sob a barba, e não se percebia. Falava depressa, olhando para os lados, num tom nervoso e assustadiço, diferente do seu de antigamente. Contou ao amigo que ali dentro raspavam a barba e o cabelo de todo mundo, depois jogavam inseticida, depois queimavam a roupa:

— Me pegaram no dia em que cheguei de Barbacena.

— Mas que espécie de lugar é este? Uma prisão?

— É a Cidade dos Mendigos. Todo dia estão trazendo mais gente.

Um guarda se acercou e mandou que ele se afastasse.

— Estamos conversando — protestou Viramundo. — Ele é meu amigo.

No que o guarda empurrou o Barbeca, ele interveio, empurrando por sua vez o guarda:

— Não toque no meu amigo!

Era a centelha que de súbito ameaçava se acender. Surpreendido, o guarda tentou segurá-lo e levou logo um safanão, vendo-se debaixo de uma saraivada de socos. Houve ligeiro tumulto, mas ninguém se mexeu, além dos outros guardas que acorreram em ajuda ao colega. Viramundo distribuía a esmo socos, pontapés e até mordidas, gritando sempre para os demais:

— Reajam! Não sejam covardes! Eles são poucos, nós somos legião!

Ninguém reagiu, a não ser o Barbeca, que foi logo dominado. Viramundo, mesmo depois de contido pelos guardas, continuava a se debater furiosamente, vociferando como um possesso. Acabaram por enfiá-lo numa camisa de força e o enviaram dali mesmo para o manicômio.

V ERIFICO melancolicamente ser esta a segunda vez que, contra a minha vontade (e a dele), o grande mentecapto vai parar num hospício. Não fosse ele quem é.

Agora, porém, teve a sorte de ser confiado, logo que chegou, ao Dr. P. Legrino, um médico ainda jovem mas de grande tirocínio e competência, versado nos mais modernos e revolucionários métodos de tratamento, de Freud para cima e de Jung para baixo. Segundo sua opinião, e estou com ele (vide bibliografia ao fim deste trabalho), as fronteiras entre a razão e a loucura são muito mais flexíveis que as paredes de um manicômio. Mandou logo que libertassem Viramundo de sua camisa de força:

— Aqui dentro todo mundo é livre.

E cumprimentou efusivamente o mentecapto:

— Como tem passado? Eu já ouvi falar muito em você, Viramundo. Pode contar-me entre os seus mais fiéis admiradores.

— Obrigado, doutor — respondeu ele, satisfeito, tomado de fulminante simpatia por aquele homem. — E mais não digo, pois quem de si faz alarde, o cu sem tardança lhe arde.

— Mas quem manqueja de sua influência, cedo tardará! — tornou o Dr. P. Legrino, rindo.

— Isto! Gostei, doutor! Se meu galo canta, o teu repinica!

— Só conta o que n'alma fica, que todo o resto é titica!

Entusiasmados com este primeiro embate, ali mesmo os dois se confraternizaram, tornando-se imediatamente amigos de infância. De vez em quando o Dr. P. Legrino mandava buscar o Viramundo lá no seu pavilhão e ficavam os dois horas sem fim conversando sobre a poesia em pânico de Murilo Mendes.

Os dias de Viramundo ali dentro transcorriam calmos e surpreendentemente felizes, graças ao convívio de um ser humano tão inteligente e sensível às coisas do espírito (P. Legrino era também poeta, e um dia lhe mostrou alguns de seus versos, que lhe pareceram do mais transcendente valor literário). Vivia num remanso de calma que nunca tivera antes em sua vida — prenúncio, talvez, da tempestade prestes a eclodir.

Antes, porém, mais uma surpresa estava reservada para o grande mentecapto. Até parecia que todo mundo afluía em correntes migratórias do interior para a capital, uns para acabar na prisão, outros para acabar no hospício. Foi o caso que se achava também internado ali um oficial do Exército cuja

208

distração era pôr os demais internos em formação e ficar o dia inteiro comandando ordem-unida:

— Esquerda, volver! Ordinários, marchem!

Os ordinários, que não queriam meter-se em complicações com o Exército, por amor à pátria ou por ver naquilo um bom exercício, obedeciam humildemente. A direção do hospital não interferia, porque as manobras do oficial haviam trazido boa ordem para os momentos de lazer dos internos, e eram todos. Quando o diretor aparecia, o oficial berrava para a tropa:

— Olharrrr à DIREITA!

E o diretor, conformado, tinha de assistir ao desfile.

Uma tarde, Viramundo ia passando pelo pátio a caminho do gabinete do médico seu amigo, e parou um pouco, ficou olhando as evoluções dos internos. De longe o oficial lhe gritou:

— Você aí, entre na fila! Enquadre-se!

Nem passou por sua cabeça obedecer — embora aquilo lhe lembrasse os seus tempos de Exército em Juiz de Fora. O oficial cresceu para ele. Quando se aproximou, ambos se reconheceram imediatamente:

— Capitão Batatinhas! — exclamou Viramundo.

— Coronel Viramundo! — exclamou o Capitão.

E batendo continência, quis passar-lhe o comando da tropa — já que o grande mentecapto, por ele promovido a coronel, era agora seu superior hierárquico. Viramundo se recusou:

— Terei outra missão a cumprir, Capitão.

Suas palavras pareciam proféticas, em face do que estava para acontecer. Pouco depois um enfermeiro vinha buscá-lo, a mando do médico seu amigo:

— Estou desolado — informou-lhe o Dr. P. Legrino, fisionomia anuviada. — Estou me despedindo, queria ver você uma última vez.

Viramundo o olhava, boquiaberto.

— Será nomeado um novo diretor. Já fomos todos afastados.

E acrescentou como que para si mesmo:

— O que me preocupa são os métodos que voltarão a usar aqui dentro.

A cabeça de Viramundo ia num tumulto. Estendeu a mão, comovido, e apertou a do amigo com firmeza.

— Pode ir, mas saiba que aqui dentro ninguém mais ficará.

Fez meia-volta e se retirou, marchando pelos corredores com ar marcial, já investido na sua patente de coronel. Ao chegar ao pátio, ordenou ao Batatinhas, que já dera por encerrados os exercícios naquela tarde:

— Capitão, reúna a tropa. Missão de combate.

O que se passou a partir daí ficou na História como um dos fatos mais extraordinários jamais registrados nos anais da psiquiatria mineira. E olha que o leitor de outros Estados não tem a mínima noção do que venham a ser os anais da psiquiatria mineira.

A ÚLTIMA das três medidas administrativas do governo, que veio precipitar os acontecimentos — demissão em massa da diretoria e de todos os médicos e enfermeiros do manicômio — fora tomada por uma razão aparentemente de somenos importância.

O Governador Clarimundo Ladisbão, cujos bigodes caprichosamente aparados eram ornamento capilar de que muito se orgulhava, só os confiava a um verdadeiro mestre da tesoura e da navalha: seu barbeiro particular Alberico Pomada, que, entre uma e outra barba governamental, gostava de tomar umas e outras pelos botequins da noite mineira. Ora, vai um dia, ou melhor, uma noite, Pomada entrou em crise aguda de alcoolismo crônico, e pela madrugada teve de ser levado ao manicômio em coma etílica, a fim de que o atendessem na seção dedicada a emergências daquela espécie. Por distração do enfermeiro de plantão, entretanto, foi encaminhado diretamente ao pavilhão dos doidos varridos, em virtude de seu comportamento ao chegar, quando o estado de embriaguez em que se achava o levou a afirmar, alto e bom som, que fazia e acontecia e até o Governador lhe obedecia.

No dia seguinte, já melhorzinho, pediu alta ao enfermeiro, pois tinha de fazer a barba do Governador. O enfermeiro achou graça e disse:

— Não posso, porque eu tenho de fazer a do Presidente da República.

Em vão Alberico Pomada pediu, implorou, esbravejou, ameaçou:

— Eu saio daqui e falo com o Governador para fechar esta merda e botar vocês todos na cadeia, seus animais de rabo!

Quanto mais protestava, mais se comprometia; acabava perdendo a cabeça e investia contra todo mundo, era preciso metê-lo numa camisa de força até que se acalmasse.

Esta situação perdurou meses e meses e o barbeiro, já conformado, para se distrair, fazia a barba dos demais internos, aparava-lhes o cabelo, inventava penteados mirabolantes. Um dia quis mesmo promover um desfile de penteados, o diretor não permitiu. A partir de então passou a andar triste pelos cantos, correndo o risco de acabar ficando mesmo doido. Depois entrou numa fase em que tentava subornar os enfermeiros:

— Me solta que eu arranjo com o Governador um cartório para você.

Enquanto isso, o Governador Ladisbão, que conhecia os hábitos de seu barbeiro, mandava revirar céus e terras à sua procura, promovendo vistorias em um por um de todos os botequins da cidade para ver se acaso o Pomada não se deixara ficar, esquecido, debaixo de alguma mesa. E sua barba, que não confiava a ninguém mais, foi crescendo. Quando já estava maior do que a de Maomé (que, incidentemente, também era um dos hóspedes do manicômio), descobriu um dia o paradeiro do Pomada: depois de ordenar durante todo esse tempo a busca em hospitais, delegacias de polícia e até na Cidade Livre dos Mendigos, por sugestão da filha mandou averiguar no hospício — e de lá, efetivamente, lhe devolveram o homem, doido de jogar pedra, mãos trêmulas que eram incapazes de segurar um copo, que diria uma navalha. Furioso, o Governador Ladisbão baixou decreto exonerando todos os responsáveis pela administração da casa, do primeiro ao último. Estes, revoltados, não esperaram a designação dos seus substitutos, e se retiraram em seguida, deixando no hospício cada doido com sua mania.

Por isso o grande mentecapto, cuja rebelião se deu após tais acontecimentos, não encontrou dificuldade em marchar com a sua tropa para a rua naquela mesma noite, e eram mais de quinhentos sob seu comando. A essa altura o Capitão Batatinhas já tinha organizado os pelotões, promovendo alguns subordinados a cabos e sargentos e impondo uma estrutura rigidamente militar à totalidade de seus comandados. E por sua vez, satisfeito, ia prestar contas ao novo Comandante em Chefe, batendo continência:

— O meu pessoal está afiado, Coronel.

Não foi difícil ao Comandante Viramundo atingir o primeiro objetivo da missão de que se via investido. O campo de ação situava-se a alguns quilômetros dali e avançar até lá com a tropa toda era simplesmente coisa de maluco — perfeitamente adequada, portanto, à condição dos elementos que a compunham. Lá chegaram tarde da noite — o que, de certa maneira, vinha ao encontro dos planos estratégicos que o Coronel Viramundo havia equacionado com o Capitão Batatinhas.

A Cidade Livre dos Mendigos dormia, sem imaginar sequer que chegara a hora de se tornar realmente livre. Apenas as sentinelas velavam em seus postos, dentro de guaritas suspensas em longos postes, nos extremos do campo cercado de arame farpado. E nenhuma delas pôde saber o que fazer diante da estranha emergência, tão perplexas ficaram ao ver aquele bando enorme de homens, com o pijama riscadinho de preto e branco usado no hospício, marchando pela estrada em direção à entrada principal. Podiam tentar barrar-lhes a passagem abrindo fogo, mas com isso matariam quando muito uns dez ou vinte e não deteriam o restante. Nem todo o corpo da guarda, encarregada da segurança do lugar, seria capaz de conter semelhante invasão.

Com o tumulto que se deu então, os habitantes da Cidade dos Mendigos acordaram, alvoroçados, e vieram ver de que se tratava. Logo confraternizaram com os libertadores. Viramundo imediatamente ordenou ao seu amigo Barbeca, que, radiante, tinha tomado ele próprio a iniciativa de abrir os portões:

— Capitão Barbeca, assuma o comando!

Ligeiras escaramuças se travavam e os guardas, ante a maioria esmagadora dos invasores e a revolta dos mendigos que logo se alastrou, depuseram as armas, que foram recolhidas, e, por ordem do Comandante Viramundo, totalmente inutilizadas.

— Não precisamos disso — afirmou ele. — Não venceremos a coice d'armas. Outro é o nosso poder de fogo, outro é o fogo do nosso poder.

Transmitiu rapidamente suas instruções ao novo Capitão. Os comandados do Capitão Batatinhas, por seu lado, já afeitos às lides militares, também não tiveram dificuldade em orientar seus novos companheiros sobre as exigências da disciplina. Estavam todos excitados, talvez um pouco mais excitados do que seria de desejar, mas embora aqui e ali ocorresse uma pequena extravagância, o moral da tropa era mais do que elevado.

Antes do amanhecer puderam partir dali para a cidade em duas colunas de rebeldes, com designação decorrente do uniforme que usavam: a dos macacões e a dos riscadinhos, comandadas respectivamente pelo Capitão Barbeca e pelo Capitão Batatinhas, e perfazendo uma unidade de cerca de mil homens, fortemente armados — se bem que apenas de uma firme disposição de vencer.

Q UANDO O Governador Clarimundo Ladisbão, espreguiçando, abriu as amplas janelas de seu quarto no palácio aquela manhã, julgou que ainda estivesse sonhando. Esfregou os olhos e tornou a olhar. A Praça da Liberdade, em toda a sua largura e em toda a sua extensão, até onde a vista alcançava, estava repleta de gente. E era uma gente esquisita, vestida de maneira extravagante, uns de macacão azul e cabeça raspada, outros de pijama riscadinho e cara de doido, mesclados de homens esmolambados, crianças descalças, mulheres com ar de bichos, em meio a outras com ar de marafonas — verdadeira ralé reunida numa multidão que não sabia de onde poderia ter surgido, e nem seria capaz de imaginar que existisse gente assim nos seus domínios.

O Comandante Viramundo estabelecera o quartel-general no coreto da Praça, junto com seu Estado-Maior. Ali era procurado por estudantes, intelectuais, políticos da oposição ou simples homens do povo que queriam aderir ao movimento. Um jornalista atento e vivo de nome Figueiró colhera a notícia e se encarregara de espalhá-la pela cidade numa edição extra de seu jornal ainda naquela manhã. Locutores de rádio com seus microfones assediavam o grande mentecapto, e desafiavam a censura, enaltecendo-lhe as qualidades na linguagem esportiva a que estavam afeitos:

— Um espetáculo sensacional, senhores ouvintes! Dentro de poucos instantes, o Comandante Viramundo dará início à peleja!

Alguém abria caminho entre o povo para se aproximar do grande líder: era o Dr. P. Legrino, que vinha trazer a sua solidariedade. E o médico o abraçou, comovido:

— Conte comigo, Viramundo.

Ao passar com sua tropa pelas proximidades da zona boêmia, Viramundo mandara um emissário convocar Dona Lina, e ela atendera à convocação de imediato, arrebanhando e trazendo consigo todas as mulheres da noite de que foi capaz, embora muitas já houvessem sido despejadas. E antes de retirar-se, deixou-as a cargo de Brigite, que era a que mais se movimentava, exercendo o poder de liderança que lhe era natural:

— Vamos mostrar a esses sacanas o que vale uma mulher.

E Brigite incorporou-se ao Estado-Maior, assumindo o comando da legião das putas.

Novas levas de retirantes que haviam chegado à capital, ao ver passar aquele exército de matusquelas, deixaram o Viaduto e se incorporaram às suas fileiras, já que não tinham aonde ir nem o que fazer. Era um movimento que nascera vitorioso.

O Governador, aturdido, mandou convocar às pressas seus auxiliares para saber que diabo aquilo significava. Estes, que sabiam menos, mandaram emissários lá fora para colher informações, enquanto a Força Pública era posta de prontidão para garantir a segurança das instituições, e botar logo em debandada aquela gente.

— Será um verdadeiro banho de sangue — cochichavam os áulicos, temerosos do estopim que aquilo podia representar.

Em pouco os emissários regressavam:

— Estão completamente loucos, Senhor Governador! Trata-se de uma legião de mendigos, outra de doidos e outra, com perdão da palavra, de prostitutas. No meio deles uma porção de miseráveis, desses que só existem na Índia. E tem um possesso chamado Viramundo que assumiu o comando de tudo isso. É uma espécie de Antônio Conselheiro. Acho que teremos em Minas um novo Canudos.

O Governador perguntou o que era Canudos e, enfurecido, quis saber o que aquela gente pretendia. Então lhe apresentaram o ultimato encaminhado por Viramundo, escrito por ele próprio, a lápis, numa folha de caderneta: Para os mendigos,

216

para os doidos e para as mulheres, liberdade de ir e vir, ficar ou sair. Para os retirantes, casa, comida e ocupação condigna.

— Mas isso é a subversão em marcha! — protestou, indignado. — Deve ser coisa de comunista! Me tragam esse homem.

Manhosamente, seus auxiliares o aconselharam a não usar de violência, pelo menos por ora, para evitar uma hecatombe que talvez não tivesse muito boa repercussão na Corte, já às voltas com seus próprios problemas. Em vez disso, melhor seria seguir o sábio princípio que sempre norteou a política mineira: prudência e capitalização.

Acedendo, o Governador ordenou a convocação imediata de alguns dos mais hábeis luminares da política situacionista e confiou-lhes a elaboração de um compromisso oficial de atendimento das reivindicações daquele maluco. Os referidos luminares, cujos nomes eram mantidos em sigilo, pois constituíam as forças ocultas do Governo, juntaram logo suas cabeças numa reunião secreta e elaboraram um documento com o protocolo de atendimento das reivindicações daquela patuleia comandada pelo novo demiurgo. Tudo pronto, passaram a lucubração do seu ilustre bestunto ao Governador Ladisbão. Este, por sua vez, nem quis ler a referida chorumela, pois assinaria no escuro aquilo que jamais pensava em cumprir. E dignou-se de receber o maluco.

Geraldo Viramundo, acompanhado do Estado-Maior, comandantes Batatinhas, Barbeca e Brigite, dirigiu-se ao palácio, seus comandados abrindo caminho para ele. Passou sobranceiro pelas tropas do governo já estrategicamente colocadas e entrou no imenso saguão pisando firme, com as botas que alguém já lhe havia arranjado — um par de botinas velhas —

para completar o uniforme que o distinguia como Comandante supremo dos sublevados: um velho quepe de motorista e um cinturão com talabarte que prendia o paletó mal-ajambrado, como se fosse uma túnica militar. O papel que encarnava parecia ferver-lhe na mente, acabando por cozinhar o que pudesse restar nela de juízo.

Recebendo-o no salão nobre do Palácio com todas as honras de estilo, segundo a pantomima que seus assessores matreiramente lhe haviam recomendado, o Governador ordenou que dessem início à cerimônia. Um de seus arautos procedeu à leitura em voz alta do protocolo elaborado pelos luminares:

— O Governo da Província de Minas Gerais, na pessoa de Sua Excelência, o digníssimo Senhor Governador-Geral Clarimundo Ladisbão, aqui presente (ao ser designado, o governador fez uma discreta vênia), compromete-se neste compromisso a

— Primeiro: no sentido de preservar os superiores interesses da pátria, a partir do respeito em toda a Província de Minas Gerais aos sagrados princípios que norteiam a política governamental, e a fim de proteger os interesses de cada um no proveito de todos e o proveito de todos no interesse de cada um...

— Basta — cortou vivamente Viramundo com um gesto enérgico, descartando o primeiro item. — Vamos ao segundo.

O arauto vacilou, mas, a um gesto do Governador, obedeceu:

— Segundo: levando-se em conta a necessidade de eliminar as mazelas sociais que tanto comprometem os mais elevados foros de nossa civilização, e na firme determinação de assegurar a ordem pública...

— Basta — cortou Viramundo. — Passemos ao terceiro.

O arauto fez um gesto de desalento, mas prosseguiu:

— Terceiro: segundo...

O mentecapto interrompeu:

— Segundo ou terceiro?

O arauto embatucou:

— Segundo...

— O segundo você já leu e não interessa. Vamos ao terceiro!

— Segundo... — gaguejou o homem, intimidado, mas afinal venceu o impasse criado: — Terceiro! *Segundo* os postulados cristãos a que se subordina a tradicional família mineira, na defesa intransigente do decoro e da moralidade pública...

— Basta — ordenou o Comandante Viramundo pela terceira vez, liquidando também com aquele item. — Falta muito?

— Não, esse era o último — informou o arauto, consternado, enrolando o pergaminho.

Viramundo voltou-se para o Governador Ladisbão, que, rodeado de altas autoridades civis e militares, por sua vez rodeados de um forte corpo de segurança, aguardava o fim da cerimônia com um sorriso de mofa, e declarou solenemente, apontando o documento nas mãos do arauto:

— Saiba o Senhor Governador-Geral da Província de Minas Gerais que o respeito às normas protocolares, que regem uma tentativa de armistício como esta, me impedem de dizer onde Vossa Excelência deve enfiar esse canudo.

Fazendo-lhe uma seca mesura também protocolar, virou-lhe as costas e retirou-se, seguido do seu Estado-Maior.

Quando passava pela antessala num passo estugado, esbarrou de súbito na filha do Governador, que ia entrando:

— Eu não o conheço de alguma parte? — perguntou ela.

Sem se abalar, ele respondeu de passagem:

— Agora é tarde, Inês é morta. Sinto muito, mas chorar não posso.

Deu-lhe as costas e saiu.

QUANDO VIRAMUNDO regressou à Praça, as forças de segurança já haviam recebido ordem de dispersar a multidão. E não perdiam tempo em fazê-lo, usando sem cerimônia bombas de gás lacrimogêneo e golpes de cassetete a torto e a direito. Militares a cavalo, brandindo sabres, abriam grandes claros entre os que procuravam fugir, em atropelo. Ninhos de metralhadoras se postavam nas esquinas, prontos a atirar. Atordoado, Viramundo ordenou aos três comandantes que tratassem de organizar uma retirada estratégica de suas colunas para reagrupamento e reavaliação de forças. Não havia como dar cumprimento a semelhante ordem e a nenhuma outra, tamanha era a confusão na Praça, todos se precipitando pelas ruas laterais, onde já os esperavam tintureiros da polícia para recolhê-los. Alguns logravam escapar, fugindo desarvorados para os quatros cantos da cidade. Furioso, o Capitão Batatinhas, em meio ao tumulto, empolgou as rédeas de um cavalo da polícia montada, conseguiu com um safanão derrubar o cavalariano e montou ele próprio o animal, como nos velhos tempos, para sair num galope alucinado para lugar nenhum, a comandar:

— Esquadrão! Atacar!

Desabituado de montar e já um tanto duro nas juntas, acabou sendo cuspido da sela e rolou no jardim, aparentemente desacordado. Em pouco, não havendo mais quem dispersar, a polícia montada e as forças de segurança do governo se retiraram, e a Praça da Liberdade ficou praticamente deserta.

O Comandante Barbeca, molhado da cabeça aos pés e trazendo coladas ao corpo algumas folhas e raízes aquáticas, conseguiu localizar Viramundo atrás da estátua de Pedro Segundo:

— Tive de pular no lago pra fugir dos meganhas, fiquei lá até agora.

O Capitão Batatinhas veio mancando juntar-se a eles:

— Vamos embora, Viramundo, que isto é uma guerra de merda, não há a quem guerrear.

Ainda restavam por ali, esquecidos, uns poucos vultos que haviam se escondido no caramanchão da Praça ou entre os arbustos dos canteiros, Brigite entre eles.

— Pelo menos um soldado eu botei pra correr — disse ela.

— Pois eu levei uma esfrega — disse outro.

— Por pouco não me acertaram.

— Eu me borrei todo.

Pesava no ar o gás lacrimogêneo, fazendo com que todos tossissem e chorassem copiosamente, como se estivessem amargando a derrota. Era apenas um punhado de bravos que restavam das gloriosas colunas dos macacões e dos riscadinhos.

— Vamos embora daqui, pessoal, que eles podem voltar.

Brigite insistia em ficar, mas Viramundo mandou que ela partisse, com uma peremptória ordem de comando:

— Volte para os seus, ou melhor, para as suas.

E despediu-se dela com um comovido abraço.

Depois de se afastar para um canto da Praça, a fim de meditar sobre a derrota e aproveitar para urinar, Viramundo voltou com a decisão, para o que restava de seus comandados:

— Vamos em jornada cívica apresentar nosso protesto ao Chefe da Nação.

Barbeca se entusiasmou, e o Capitão Batatinhas com ele, apesar de não ir lá muito bem das pernas. Os demais que por ali estavam se dispuseram a segui-los, mas Viramundo os dispensou. Então decidiram pelo menos acompanhar seu Comandante, como guarda de honra, até a saída da cidade.

ERAM TRÊS FIGURAS grotescas e estropiadas, aquelas que saíam do mato para ir margeando a estrada. Quem os visse, diria tratar-se de três protagonistas de alguma pantomima de saltimbancos.

Viramundo vinha à frente, no exercício da sua longa experiência de andarengo. Para não ser reconhecido pelo inimigo, descartara o uniforme de Comandante em Chefe das forças rebeldes, atirando fora o quepe de motorista e o velho cinto com talabarte.

Barbeca, no macacão azul já rasgado e encardido, seguia-lhe os passos a alguma distância, como medida elementar em tática de guerra, imposta por Viramundo, para o caso de serem surpreendidos por um ataque. Sua careca brilhava ao sol e a barba já repontava, sombreando-lhe o rosto e voltando a justificar sua alcunha.

Por último, mais distanciado ainda, no seu pijama riscadinho já sujo e roto, arrastava-se o Capitão Batatinhas, o pé descalço, um galho de árvore à guisa de muleta, e praguejando contra o papel de pé de poeira que o destino lhe reservara naquela campanha — a ele, um oficial da cavalaria divisionária!

— Se aparecer um cavalo eu arrecado como presa de guerra — resmungava.

— Guerra é guerra — concordava Barbeca.

Tinham a precaução de contornar qualquer vilarejo onde o inimigo pudesse preparar-lhes uma emboscada, e se escondiam no mato a qualquer ruído de veículo que pudesse ser uma viatura militar. Às vezes se embrenhavam pelas macegas, galgavam morros pedregosos para fazer o reconhecimento do terreno. Chegando ao cume, botavam a mão em pala diante dos olhos, protegendo a vista contra o sol que chapeava nas pedras, arrancando faísca daqueles picos de ferro, e eram montanhas e montanhas e montanhas, como um mar encapelado, azulando-se até se esfumar no horizonte. Olhavam, e nada viam do mar de verdade que era o seu destino final.

— Estamos perto, Comandante? — perguntava Barbeca.

— Ainda falta um pouco — admitia Viramundo.

Em verdade haviam vencido naquela jornada os primeiros quinze quilômetros, faltando os restantes 462 para chegarem à Corte.

Emergiam novamente para a estrada e foram caminhando. Estavam nos arredores de Rio Acima, onde não havia mais rio, nem acima, nem abaixo: com o tempo, tornara-se um fio d'água escorrendo por entre as pedras do vale. Se Viramundo pusesse reparo, veria que um pouco além, nas margens daquele rio quase inexistente, ou nadando em suas águas outrora caudalosas, havia passado grande parte de sua infância. Mas Viramundo não reparava em nada ao redor, só tendo pensamento para a missão que deveria cumprir.

Barbeca veio lhe dizer, alarmado, que encontrara à beira do riacho umas marcas que pareciam pegadas de onça. Viramundo não deu importância:

— É que chegou a hora da onça beber água — explicou.

Ao cair da tarde, detiveram-se, escolhendo um bom lugar para o bivaque. Viramundo recostou-se no tronco de uma árvore, enquanto o Capitão Batatinhas examinava o pé, sentado numa pedra:

— Parece um pé de elefante.

Barbeca disse que era hora de providenciar o rancho, e saiu recitando, até sumir na curva da estrada:

— Um elefante amola muita gente. Dois elefantes amolam muito mais. Três elefantes amolam muita gente. Quatro elefantes...

Ao fim de algum tempo e de 352 elefantes, regressava, feliz, trazendo consigo, dentro de um saco de papel, um pedaço de toicinho, um queijo palmira e um pacote de biscoito de polvilho.

— Foi arrecadado num armazém ali adiante — informou.

E ainda atirou um maço de cigarros Alerta ao Batatinhas:

— Toma lá, Capitão, para parar de reclamar.

Depois de preparar uma fogueirinha para fazer torresmo na cuia do queijo, Barbeca procurou o toicinho e não encontrou.

— Uai, quedê o toicinho que estava aqui? — perguntou.

— Gato comeu — respondeu o Capitão, que, de brincadeira, o escondera atrás de si.

— Quedê o gato?

— Fugiu pro mato.

Os dois se regalaram com o rancho até último farelo — sua primeira refeição naqueles dias tumultuados. Ao fim, Barbeca, satisfeito, cantarolou:

— *Atirei um pau no ga-tô-tô*
Mas o ga-tô-tô não morreu-eu-eu.

O Capitão secundou:

— *Sá Chica-ca admirou-sê-sê*
Do berrô, do berrô que o gato deu.

Viramundo estranhamente se recusara a comer. Afastara-se e contemplava em silêncio a paisagem. Havia nela qualquer coisa de vagamente familiar a seus olhos, como uma paisagem de sonho, ou de um mundo anterior em que já tivesse vivido. Caminhou até o extremo do barranco. Pareceu-lhe ver lá embaixo, no meio do rio caudaloso, um menino sorrindo, a acenar para ele. Logo o rio não era caudaloso mais — apenas um simples córrego, e não havia menino algum. O sol se escondia por trás do dorso da montanha, tornando o céu arroxeado, e raiando o horizonte de riscas vermelhas como laivos de sangue. Era uma atmosfera fantástica, com brilhos de quartzo iridescente, como devia ser a terra quando ainda não habitada, num tempo sem memória. O grande mentecapto, sem saber por que, sentia-se abandonado e era enorme a sua solidão. Parecia evolar-se de seu espírito uma força qualquer que até então o sustentava. Havia chegado a sua hora.

Então ouviu confusamente o companheiro dizer que ia buscar água, enquanto o outro se dispunha a acompanhá-lo para molhar os pés. Não ficou muito tempo sozinho. De súbito ouviu vozes e se viu rodeado de vários homens irados, alguns armados de pedaços de pau, que se abateram sobre ele:

— Foi este mesmo!

— Olha o saco ali no chão.

Atordoado com as pancadas que recebia de todo lado, pensou apenas que esta era a emboscada temida — como pudera ser tão inexperiente de não fazer antes um reconhecimento das redondezas! Agora era ficar bem quieto para não denunciar ao inimigo a presença dos companheiros, talvez eles escapassem.

Nem percebeu quando alguém apareceu com uma corda e o amarraram na árvore, continuando a castigá-lo aos socos, pontapés e pauladas:

— Para você aprender a roubar a sua mãe, seu canalha.

Se Viramundo pudesse abrir os olhos já cegos pelo sangue que escorria, talvez reconhecesse o que falara, de nome Breno, e que era dono do armazém.

Quando seu corpo já pendia sobre as cordas que o amarravam, aparentemente sem vida, aquele que se chamava Breno convocou os companheiros:

— Vamos embora, pessoal, que ele já recebeu sua lição.

Um jovem, fazendo trejeitos, ainda espetou com uma vara o corpo inerte, à altura do tórax, cantando "Judas já morreu! Quem manda aqui sou eu!", e se afastou rindo, em meio aos demais.

Ao voltar, Barbeca, estarrecido, deixou cair a cuia do queijo, na qual trazia água para Viramundo, fez meia-volta e disparou como um alucinado colina abaixo até o riacho:

— Capitão! Capitão!

Voltaram os dois, aflitos, caminhando rápido, o Capitão ignorando o pé dolorido. Desamarram o companheiro, estenderam-no com cuidado no chão. Barbeca balbuciava, chorando:

— Mataram o meu amigo... Mataram o meu amigo...

— Vá buscar água de novo — ordenou o Capitão. — Ele ainda está respirando.

Lavaram-lhe o rosto ensanguentado, limparam-lhe as feridas, mas a mais grave era a do lado: a vara penetrara no torso como uma lança e o sangue jorrava sem parar. Em vão o Capitão procurava estancá-lo com pedaços da camisa de Viramundo. Barbeca, chorando, amparava-lhe a cabeça, tentando reanimá-lo, depois de oferecer-lhe água, que ele não chegou a beber. Ambos, desesperados, não sabiam mais o que fazer.

Nem havia nada a fazer: naquele instante Viramundo entreabria com dificuldade as pálpebras intumescidas pelas pancadas, olhava seus dois amigos e tornava a fechá-las, depois de tentar falar qualquer coisa e não conseguir. Então, sem uma palavra, entregou o espírito. Mas seus lábios pareciam entreabertos num sorriso.

DEO GRATIAS

EPÍLOGO

É COM PESAR *que ponho o ponto final neste relato. Tanto me queixei ao longo do caminho que me trouxe até aqui, acidentado e cheio de tropeços como a própria vida do meu personagem, e agora que dele me despeço sinto na alma um vazio, e certo aperto no coração. É que acabei me afeiçoando ao grande mentecapto, e seu destino foi ficando de tal maneira identificado ao meu, que já não sei onde termina um e começa o outro.*

No entanto, não gostaria de ter o destino que ele teve: Geraldo Boaventura, 33 anos, sem profissão, natural de Rio Acima, foi enterrado como indigente numa cova rasa do cemitério local. Causa mortis: *ignorada.*

Cabe-me, aqui, encerrar o meu trabalho com algumas referências ao destino que tiveram os demais personagens. A começar pelos dois que ali deixei, acompanhando a agonia de seu amigo.

Barbeca logrou regressar a Barbacena, onde retomou seu negócio de esterco, sendo hoje comerciante do ramo naquela cidade. O Capitão Batatinhas, depois de uma temporada a mais num dos hospícios de Barbacena, onde foi parar em companhia do outro, reingressou na ativa, prosseguiu na carreira militar até cair na compulsória e hoje é general de pijama (sem ser riscadinho).

Os demais, pela ordem:

Cremilda, a do primeiro beijo, é casada com Breno Boaventura, que, depois de suplantar com seu armazém os italianos do empório, hoje é dono de um supermercado em Rio Acima.

Dona Nina, mãe de Geraldo Viramundo, jamais chegou a saber da tragédia em que se viram envolvidos dois filhos seus, e do sacrifício de um deles, que o outro ajudou a consumar: cedo juntou-se a Boaventura, que havia muito já morrera.

A viúva Correia Lopes, de nome Pietrolina, dita Peidolina e mais tarde Dona Lina, aposentou-se depois que a intransigência das autoridades veio dificultar o seu negócio, e lamento dizer que seu destino não foi dos mais felizes: velha e doente, viu-se recolhida a um asilo que não fica muito a dever à Cidade Livre dos Mendigos.

O estudante Dionísio, depois de expulso deste livro, deu baixa no Exército e regressou aos estudos, sendo hoje conceituado engenheiro, formado pela Escola de Minas de Ouro Preto. A ele devo precioso subsídio sobre as aventuras e desventuras de Viramundo naquela cidade.

Matias, o filho do cego Elias, é soldado do Corpo de Bombeiros em Juiz de Fora.

O engraxate Vidal ainda engraxa sapatos em Ouro Preto, embora tenha ficado relativamente famoso depois que deu para fazer versos de literatura de cordel, tendo mesmo escrito um folheto celebrando as aventuras de Viramundo, mas que nele figura sob o cognome de Geraldo Vagalume, que não consta de meus registros, e, sendo assim, de nada valeu na elaboração deste trabalho.

O romancista Georges Bernanos, com quem Viramundo se encontrou em Barbacena, voltou para a França depois da guerra, deixando no Brasil traços marcantes de sua passagem e boas lembranças entre os que com ele conviveram.

Por mais que eu consultasse os arquivos de manicômios, clínicas de repouso e similares em Barbacena e alhures, não consegui informações sobre o atual paradeiro de Dr. Pantaleão. Quanto a Herr Bosmann, acabou vítima de um complô para assassinar o Kaiser Guilherme II, que ele encarnava.

O professor Praxedes Borba Gato, com quem Viramundo travou sensacional debate público, não chegou a ser prefeito de Barbacena: morreu pouco tempo depois, vítima de um insulto cerebral.

O Tenente Fritas, hoje Coronel, acabou se casando com a moça das tranças, de nome Maria das Graças, tiveram muitos filhos e, dizem, são muito felizes. Ela só não passou a se chamar Maria das Graças Fritas porque, como o leitor deve estar lembrado, o verdadeiro nome do Tenente era Freitas.

O cavalo tordilho morreu de velho sem pronunciar mais uma só palavra.

O General Jupiapira Balcemão também morreu, mas de apoplexia, no mesmo dia em que ouviu o cavalo falar.

O menino Niginho, filho de Dona Filomena, hoje é tropeiro naquela região. Dona Filomena, é lógico, já se foi há muito tempo e se ninguém se lembrava dela quando viva, que dirá depois de morta.

Todas as pessoas mencionadas nas aventuras de Viramundo vividas em São João del Rei continuam morando lá, a maioria figurando nas mesmas orquestras. Menos Ottinho, o menino do violino, que cedo abandonou o instrumento em favor da literatura e acabou realizando o vaticínio do farmacêutico Seu Policarpo, pois hoje é ilustre imortal, eleito, como foi, para a Academia de Letras — não a Mineira, mas a Brasileira. O fardão usado em sua posse foi cortado pelo alfaiate Josias. O da tuba.

O preso João Tocó, como já disse, não regressou à prisão de Tiradentes nem encontrou o diamante de seus sonhos. Fez melhor: acertou na Loteria Esportiva e até hoje vive numa fazenda no Chapadão das Gerais, cercado de jagunços para se defender contra os que lhe querem tomar a fortuna.

Os profetas de Congonhas continuam lá, para todo o sempre.

O pintor de Uberaba, Erich Raspe (que nada tem a ver com o barão de Münchhausen), perdeu a questão de terras com seu vizinho e ainda anda por lá. O seu título de glória é ter conhecido Viramundo, de quem vive contando histórias pelos botequins. Mas dizem que ele mente muito.

Dona Maria Eudóxia, minha tia de Leopoldina, fez doces de manga cada vez mais deliciosos até morrer. Chico Doce, que vendia cocada, passou a vender os doces dela também.

O fantasma da casa assassinada em Curvelo está lá até hoje, dizem. Mas não espanta mais ninguém, embora hoje seja realmente um fantasma, pois não há possibilidade de que a velha em questão ainda esteja viva.

Montalvão, o rufião de Marialva, morreu assassinado numa tocaia. Marialva é atualmente senhora de um deputado federal por Minas, cujo nome terei a discrição de não mencionar.

Brigite, a que assumiu o comando de suas companheiras na rebelião de Viramundo, tem hoje um salão de beleza na Rua Guajajaras, em Belo Horizonte, onde se fazem tinturas, alisamentos, mise-en-plis e ondulações permanentes.

O Dr. P. Legrino, que reside atualmente no Rio de Janeiro, e com quem tenho a honra de privar, além de sua inspirada vocação poética, é uma das mais sólidas reputações de psiquiatria neste país, graças ao vaticínio que lhe fiz: só um doido o procurará como psiquiatra. É para mim recompensa bastante como escritor a com-

preensão e a sensibilidade de sua parte em relação à doidice deste meu trabalho.

Quanto ao Governador Clarimundo Ladisbão, depois de deixar compulsoriamente o governo da Província de Minas Gerais, candidatou-se a senador e foi derrotado; em seguida a deputado federal, sofrendo igual derrota; assim sucessivamente a deputado estadual, prefeito e vereador. Mas foi recentemente eleito síndico do edifício onde reside, no conjunto Juscelino Kubitschek da Praça Raul Soares. Sua filha Marília Ladisbão casou-se com um fabricante de queijos do Serro do Frio, ou Vila do Príncipe, terra de origem do ilustre causídico Miguel Lins e do Príncipe Aloysio Salles.

A insurreição da Praça da Liberdade não terminou ali. Os estudantes empolgaram o movimento, que se alastrou pela cidade inteira, com muitos comícios, passeatas, depredações, pancadarias e perturbação geral da ordem pública, até sair vitorioso. Pelo menos é o que se presume, pois a zona boêmia continua (como Minas) onde sempre esteve, os doidos continuam no hospício e a cidade continua cheia de mendigos.

E assim, chegamos ao término desta jornada. De Viramundo, fica apenas o sorriso que se eternizou na sua face, ao ver sãos e salvos os companheiros.

Pedindo licença aos leitores, gostaria de encerrar com uma citação, no idioma original, de uma errata encontrada num livro de autor espanhol, a qual bem exprime o sentimento geral que procurei captar ao longo do meu trabalho:

Donde leese por la fuerza de las cosas,
lease: por la debilidad de los hombres.

RIO DE JANEIRO, 24.8.79

BIBLIOGRAFIA

Afonso Arinos, sobrinho:
— Roteiro Lírico de Ouro Preto
Antonio Candido:
— Macunaíma/Viramundo: do herói sem nenhum caráter ao heroísmo oligofrênico (aula inaugural na cátedra de Literatura da USP)
Carlos Castello Branco:
— O Soldado Viramundo e os Militares no Poder
Carlos Drummond de Andrade:
— Poesias Completas
Darcy Ribeiro:
— O Mentecapto Como Arquétipo na Cosmogonia dos Koko-roca — Ensaio de Interpretação Socioantropológica.
Francisco Iglésias:
— A Religiosidade Messiânica no Contexto Político do Governo Provincial Mineiro.
Fritz Teixeira de Salles:
— Silva Alvarenga, um Precursor de Viramundo
Jésu de Miranda:
— Veritas Veritatis
Luiz Eugênio Botelho:
— Leopoldina de Outrora — Alguns Elementos Subsidiários de sua História

Marco Aurélio Matos:
— Da Responsabilidade Civil de Viramundo à Luz da Razão e Perante a Lei (tese de doutorado)
Oswaldo Alves:
— Um Homem Dentro do Viramundo
Dr. P. Legrino:
— Hospício Sem Paredes
— Os Doidos Têm Razão
— A Insurreição de Viramundo, um Marco na Psiquiatria Revolucionária de Minas (separata)
Otto Lara Resende:
— The Inspector of Orphans — André Deutsch Publishers, London (edição em português esgotada)
Paulo Mendes Campos:
— Viramundo na Ventania (com ilustrações de Borjalo)
Sábato Magaldi:
— O Histrionismo de Viramundo e a sua (In)experiência de Ribalta
Silviano Romano:
— Viramundo — uma Interpretação Estruturalista das Manifestações Cognoscitivas Através da Semiótica (monografia).

CITAÇÕES E REFERÊNCIAS EM
O GRANDE MENTECAPTO
APRESENTADAS PELO AUTOR

p. 12   "(...) assistiu a fita de Tom Mix, Buck Jones e Carlito (...)"
— Os dois primeiros, meus ídolos do cinema de faroeste,
quando menino; Carlito, Charlie Chaplin, cômico de minha
admiração para todo o sempre.

p. 36   "(...) aquele momento de não ter mais o passado como companheiro nem de reconhecer suas visões, que o escritor Mário
de Andrade atingiu aos cinquenta." — Reminiscência de um
verso de Mário de Andrade, do poema "Pela noite...": "O
passado não é mais meu companheiro. / Estou vivendo ideias
que por si já são destinos / Não reconheço mais minhas visões."

p. 44   "(...) porque não queria partir sem um último adeus ao
túmulo do poeta Alphonsus de Guimaraens, seu único amigo em Mariana (...)" — O poeta simbolista de "Kyriale" e
da "Pastoral dos Crentes do Amor e da Morte", de minha
devoção quando jovem, nasceu, morreu e foi enterrado em
Mariana.

p. 58   "*It is ludricous* — para usar a língua de Shakespeare, tão cara
aos nossos filomenos montanheses." — Citar Shakespeare a
propósito do Mentecapto não é um despropósito, pois ele

não apenas devia ser versado em sua obra, como provavelmente foi quem me soprou o vocábulo "filomeno", cuja significação me escapa — se é que existe.

"(...) um eminente historiador da época, conhecido pelo nome de Afonso, o Sobrinho (...)" — Referência a Afonso Arinos de Melo Franco e seu *Roteiro Lírico de Ouro Preto*, relato de uma de suas visitas à cidade.

"(...) Emílio Moura, bardo de lírica inspiração, talvez irmão espiritual de Viramundo, mas que na época não foi para Ouro Preto e sim para Dores do Indaiá." — Poeta, da geração anterior à minha, realmente de lírica inspiração e doce figura humana com quem tive a sorte de conviver. A ele seu companheiro Carlos Drummond de Andrade dedicou na época uns versinhos de brincadeira:

O poeta Emílio Moura
Com suas pernas compridas,
E seu comprido comprido
Coração de sabiá,
Deixou as noites de farra,
Disse adeus à boemia
E foi para Dores do Indaiá.

p. 59
"(...) Não seria outro senão o grande memorialista Pedro Nava, com quem Viramundo sem dúvida tinha mais de um ponto em comum." — Sem dúvida alguma. Também mereceu do poeta Carlos uns versinhos sobre sua terra natal:

Meu amigo Pedro Nava
Disse adeus a Juiz de Fora.
Parabéns a Pedro Nava
Parabéns a Juiz de Fora.

p. 63
Um dos recortes era um poema com o título "As Noivas de Jayme Ovalle." — Poema de Augusto Frederico Schmidt

sobre esta figura extraordinária que foi Jayme Ovalle, outro irmão espiritual de Viramundo.

"(...) à margem da obra poética de Tomás Gonzaga." — Tomás Antônio Gonzaga, poeta brasileiro da fase neoclássica, na realidade nascido em Portugal e falecido em desterro na África, acusado de participação na Conjuração Mineira. Referências à sua musa *Marília de Dirceu* ocorrem ao longo da vida do Mentecapto, enleado ele próprio nos encantos de outra Marília, a filha do Governador Geral da Província.

p. 70   "— Joaquim Silvério não farei jamais." — Joaquim Silvério dos Reis, coronel português, delator da Inconfidência Mineira.

p. 84   "(...) sigo pressuroso na minha vereda, segundo o simples esquema a que me atenho, segredo do sucesso de João Guimarães Rosa." — O autor de *Grande Serão: Veredas*, afeito a essas mineirices, como Viramundo, era possuído do mesmo espírito andejo (se é que esta palavra existe).

p. 90   "— E você já imaginou uma nuvem de calças? Hi! hi! hi!/ — Vladimir Maiakovski — exclamou Viramundo solenemente." — Poeta russo, autor do poema "Nuvem de Calças". "...em tradução da autoria de outro poeta, sul-americano este, de nome Pablo Menendez de los Campos..." — Referência ao meu querido amigo e também grande poeta Paulo Mendes Campos.

p. 93   "...*libertas quae sera tamen!*" — "Liberdade, ainda que tardia." — Fragmento de um verso de Vírgilio, lema dos conjurados mineiros, consagrado na histórica bandeira branca com um triângulo vermelho.

p. 94/95   "(...) na esquina da Rua Bias Fortes com a Rua José Bonifácio (...)" — Referência a duas figuras de projeção na vida pública mineira, tradicionais adversários na política de Barbacena.

"(...) por ser de lídima acepção em nosso vernáculo, desde Gil Vicente (...)" — Dramaturgo português, iniciador do teatro em sua terra por volta de 1500, autor de comédias, autos e farsas em linguagem ousada.

p. 97   "— É o Georges Bernanos!" / "(...) na tradução de Edgar de Godoi da Mata Machado!" — Romancista francês e seu tradutor.

"O grande mentecapto, versado no idioma de Montaigne (...)" — Podia não ser tão versado assim, mas pelo menos me deu ocasião de prestar este tributo de minha admiração pelo autor de *Essais*.

p. 103   "Tinha lá suas letras, estava certo de se sair tão bem quanto Panurge ao derrotar o clérigo inglês." — Referência a um debate semelhante, constante de *Gargantua*, romance de François Rabelais.

p. 104   "— Em que língua quereis que vos fale?" — Paródia de uma pretensiosa frase atribuída a Rui Barbosa, antes de iniciar o seu discurso na abertura da Conferência Internacional de Haia. A propósito, conta-se que o Presidente Rodrigues Alves teria encarregado Delfim Moreira, então vice-presidente (e que, como todo mineiro, não era lá muito bom da cabeça), de ir à casa do escritor baiano convidá-lo para representar o Brasil na tal conferência. "Vai me perdoar", excusou-se ele, "mas se Vossa Excelência, Presidente da República, descer a escadaria do Palácio do Catete para ir convidar Rui Barbosa na casa dele, Vossa Excelência sobe. Ao passo que eu, como vice-presidente, se descer, desço mesmo. Ele que venha até aqui."

p. 104 " — Na última flor do Lácio inculta e bela." — Citação de um verso do célebre soneto de Olavo Bilac sobre a língua portuguesa.

p. 109 "(...) nos mais modernos moldes ecológicos, ou seja, defendidos por Umberto Eco." — Obviamente mero jogo de palavras, pois a ecologia nada tem a ver com Umberto Eco, escritor italiano da atualidade, em voga pelo seu livro *Obra Aberta* e estudos críticos sobre a cultura de massa e a linguagem das histórias em quadrinhos.

p. 114 "(...) transcende, como em Euclides da Cunha, todas as regras de estilo recomendadas por Antônio Albalat." — Referência ao estilo um tanto prolixo do autor de *Os Sertões* e às regras de estilo um tanto acadêmicas de Albalat, hoje em dia ignorado até pelo *Petit Larousse*.

p. 116 "Às vezes se distraía recitando o famoso soneto do poeta-soldado Jésu de Miranda (...)" — Soldado da Polícia Militar, autor de vários livros de versos populares, entre os quais *As Cem Mulheres que Eu Amei*, composto de sonetos dedicados a cada uma delas, com nome e sobrenome — o que, segundo consta, não deixou de criar problemas com os respectivos maridos.

p. 117 "(...) com seu bigodinho de Ramon Novarro (...)" — Ator de Hollywood, mexicano de nascimento, galã nas décadas de 20 e 30 em filmes como *Ben-Hur, Mata Hari*, entre outros.

p. 122 "(...) e me sentiria perdido como Fabrice del Dongo na batalha de Waterloo." — Personagem de Stendhal, no célebre capítulo inicial de *La Chartreuse de Parme*.

"(...) o gênio de um Tolstoi (...) as façanhas de Pedro Besukov na batalha de Borodino." — Passagem também célebre do romance *Guerra e Paz* de Leon Tolstoi.

"(...) acampado no Chapadão do Bugre, às margens do riacho do Pau Mério, perto de uma localidade denominada Vila dos Confins..." — *Vila dos Confins* e *Chapadão do Bugre* — romances do escritor mineiro Mário Palmério.

p. 124 "E o fez de maneira tão quixotesca (...)" — Paródia do romance picaresco *Dom Quixote de la Mancha*, de Miguel de Cervantes Saavedra.

p. 125 "(...) insigne tradutora Senhora Werneck de Castro (...)" — Esposa de meu velho amigo, o jornalista e escritor Moacir Werneck de Castro.

p. 126 "(...) cidadezinha dos lados de Serras Azuis chamada Branca Bela (...)" — *Serras Azuis* e *Branca Bela* — romances do escritor mineiro Geraldo França de Lima.

p. 130 "(...) resposta semelhante à de Manuel du Bocage (...)" — Manuel Maria Barbosa du Bocage, poeta português do século XVIII, grande sonetista, de vida desregrada, desperdiçando talento em versos satíricos ou pornográficos.

p. 141 "(...) Oswald de Andrade, que expulsou o Pinto Calçudo de seu romance (...)" — Final do romance do paulista Oswald de Andrade *Serafim Ponte Grande*.

p. 143 "— Depois o inspetor do asilo, um tal de Laurindo Flores, matou o Coronel Antônio Pio (...)" — Personagens do romance *O Braço Direito*, de Otto Lara Resende.

p. 144   "Havia um menino, o Ottinho, que tocava violino (...)" — Otto Lara Resende, que em criança foi obrigado a aprender violino, aparentemente sem nenhum resultado.
"(...) em dueto com o Estígio Neves (...) Até aí morreu o Neves." — Não consigo me lembrar a que veio esse "Estígio" — mas o "Neves" é sem dúvida devido ao político Tancredo Neves, natural de São João del Rei.

p. 146   "(...) o raconto "Galinha Cega", no livro do mesmo nome, da autoria de João Alphonsus." — Famoso conto do escritor mineiro, no qual não sei se Viramundo aprenderia como matar um gambá — mas se fosse um gato, seguramente saberia fazê-lo, lendo o conto "Sardanapalo", do mesmo autor.

p. 155/156 "(...) Tinha lá uns seresteiros, o Sílvio Felício e o Nonô-Vai-da-Valsa (...) e os dois Eulálios violeiros, o Alexandre e o David." — Sílvio Felício dos Santos, escritor mineiro que chegou a prefeito da cidade; Juscelino Kubitscheck, que chegou a Presidente da República sem abandonar as serestas quando em sua cidade natal; o ensaísta Alexandre Eulálio e o cineasta David Neves, também diamantinenses de nascimento e coração.

p. 164   "(...) na porta da venda, Tutu Caramujo cisma na derrota incomparável." — Último verso do poema "Itabira", em *Alguma Poesia*, de Carlos Drummond de Andrade.

p. 166   "— Por que me abandonaste?" — Mateus, cap. VI, v. 46.
"— Quem é cego, senão o servo do Senhor? (...)" — Isaías, cap. XVII, v. 19, 20.
"— E tu, Habacuc! Até quando levantarei a minha voz (...)" — Habacuc, cap. I, v. 2, 3.
"— E tu também, Jeremias! Em minhas entranhas (...)" — Jeremias, cap. IV, v. 19.

p. 169   "O touro (...) investe furioso como as águas do Mar do Norte (...)" — Reminiscência do texto antológico *O Cerco de Leide*, de Luiz Guimarães Filho.

p. 171   "(...) deteve-se diante da Loja Fernando Sabino (...)" — Existe realmente em Uberaba uma loja com este nome, que nada tem a ver com o autor destas linhas.
"Único baiano que, por um descuido do Autor, logrou cruzar a fronteira de Minas e introduzir-se à sorrelfa nesta obra (...)" — A "sorrelfa" corre por conta do Mentecapto: foi proposital a referência a Jorge Amado, como espontânea manifestação de minha estima e admiração.

p. 172   "Goya teria de mobilizar (...) foi uma cena verdadeiramente goyesca." — Francisco de Goya y Lucientes, pintor espanhol do século XVIII, autor de quadros sensuais ou dramáticos sobre tauromaquia.

p. 178   "Nicolau, italiano de nascença (...) Seu Domingos, Dona Odette (...)" — Respectivamente meu avô, realmente italiano, e meus pais, leopoldinenses.
"*Lasciate ogni speranza voi ch'entrate*" — Verso 9, Canto III, de *A Divina Comédia* de Dante Alighieri: "Deixai toda esperança, ó vós, que entrais." Nele teria se inspirado meu avô ao conceber os dizeres da tabuleta à entrada de seu bar em Leopoldina, levando mineiramente um pouco mais longe a advertência do poeta: "*Perdute tuta speranza quelle que entrata senza dinaro*" [Perca toda esperança aquele que entrar sem dinheiro.] As informações sobre Nicolau Sabino foram colhidas no livro *Dos 8 aos 80*, de Luiz Rousseau Botelho, seu conterrâneo, escrito aos 84 anos de idade.

p. 179 Versos de Augusto dos Anjos, poeta paraibano enterrado em Leopoldina, autor de um único livro, *Eu*, acrescido de outros poemas em edição póstuma:

— *Hoje é amargo tudo quanto eu gosto;*
A bênção matutina que recebo...

....

— *Se algum dia o prazer vier buscar-me*
Dize a esse monstro que eu fugi de casa!

Do poema "Queixas Noturnas"

— *Para onde fores, pai, para onde fores*
Irei também, trilhando as mesmas ruas...

Do "Soneto — I"

— *A minha sombra há de ficar aqui.*

Do soneto "Debaixo do Tamarindo"

"(...) mas temo que o estivessem confundindo com o romancista Rosário Fusco..." — Romancista mineiro, do grupo modernista da revista *Verde* de Cataguases — na realidade nascido em Minas, mas no município de Rio Branco. Autor de romances de grande densidade psicológica, como *O Livro de João, O Agressor, Carta à Noiva* e principalmente *Dia do Juízo.*

p. 180 "Outro ilustre filho de Cataguases, o César, de prenome Viterbino..." — Referência ao escritor Guilhermino César, também integrante do grupo "Verde" — poeta, romancista e crítico literário que se radicou durante muitos anos em Porto Alegre.

"— Era o Fusco mesmo. Nunca existiu viramundo maior do que ele. A não ser Dounê.

Ao que o contista Chico Inácio acrescenta:

— Viramundo e Fusco eram dois num só." — Francisco Inácio Peixoto, autor do livro de contos *Dona Flor*, participou do movimento "Verde", dividindo com Guilhermino César a autoria do livro *Meia Pataca.* O desenhista de Cataguases Dounê Rezende Spinola vem a ser o autor de belas capas de livros como os da Editora Record e tem, entre seus títulos, o de haver sido um dos continuadores do Amigo da Onça na revista *O Cruzeiro*.

"(...) que Viramundo era irmão mais moço de Diadorim, mira e veja! Nonada." — Diadorim, personagem de Guimarães Rosa em *Grande Sertão: Veredas*, romance do qual "Nonada" vem a ser a primeira palavra e "mira e veja" expressão recorrente.

"Alan Prateado, outro celebrado romancista das Alterosas (...) que sabe o risco do bordado (...)" — Referência ao escritor Autran Dourado, nascido em Patos de Minas, autor, entre outros, do romance *O Risco do Bordado*.

(...) na própria casa assassinada por Lúcio Cardoso em sua famosa crônica (...)" — *Crônica da Casa Assassinada*, um dos romances do escritor mineiro Lúcio Cardoso, nascido em Curvelo.

p. 181/182 *"A casa parecia suspensa na luz trêmula (...)* As frases transcritas acima são da primeira página de um dos dois romances de Nico Horta (...)" — *Dois Romances de Nico Horta*, de Cornélio Pena, ao qual pertence o trecho transcrito. Nascido em Petrópolis, na realidade o romancista é considerado mineiro, não só por ter sido criado em Itabira desde um ano de idade, como pela temática de seus romances introspectivos, densos de emotividade e de mistério.

p. 185/186 "Adamastor responderia: eu sou aquele oculto e grande cabo, a quem chamais vós outros Tormentório." — Versos de Luiz de Camões, de *Os Lusíadas*, Canto Quinto, L. Adamastor, filho mitológico da Terra, derrotado por Júpiter, já mencionado antes por Homero em *Odisseia* e Virgílio em *Eneida*. O poeta português foi além da mitologia: transformou Adamastor no Cabo das Tormentas (Cabo da Boa Esperança), ameaçando com "naufrágios e perdições de toda sorte" os navegadores, como Vasco da Gama ou Bartolomeu Dias, que invadissem seus domínios.

p. 187/188 "(...) pela estrada que leva a Santana do Rio Verde." — Cidade criada pelo romancista Cyro dos Anjos em seu livro de memórias com este título.

"(...) indo o primeiro, Marco Moura, da letra A à letra L e o segundo, Aurélio Matos, da letra M à letra Z." — Menção ao meu saudoso amigo Marco Aurélio de Moura Matos, escritor mineiro de grande saber e erudição, autor de excelente livro de contos *As Magnólias do Paraíso*.

"Em Itajubá via sempre um velho de cabeça branca (...)" — O ex-Presidente Wenceslau Braz, que terminou seus dias na cidade em que nasceu.

"E nessa época Milton Campos não era o que chegou a ser." — Político natural de Ponte Nova, de quem seu amigo Carlos Drummond chegaria a dizer: "Aquele que todos nós gostaríamos de ser."

"Em Brejo das Almas encontrou pela primeira vez o poeta maior (...) rendendo graças à poesia e ao sentimento do mundo (...)" — Carlos Drummond de Andrade.

"Em Sabará (...) pensão das três gordas. (...) a casa fora parcialmente demolida a machado (...) um tal chamado João Ternura e sua irmã Lúcia (...)" — *João Ternura*, de Anibal Machado, que ali nasceu, como sua irmã Lúcia Machado de Almeida, autora de *Passeio a Sabará*.

p. 189 "Em Monte Santo conheceu um tal de Castejão..." — Meu amigo João Batista Castejon Branco, jornalista e Deputado Federal por Minas Gerais.

"...no caminhão de Jorge França Júnior, um brasileiro." — *Jorge, um Brasileiro*, romance de Oswaldo França Junior sobre um motorista de caminhão.

"Em Caratinga, conheceu o filho do pai do Etienne. Em Carmo de Minas, Rubião, o filho da mãe do Murilo. Em Ubá, o Aryba Roso. Em Nova Lima chupou lima com Eloy Lima." — João Etienne Filho e Murilo Rubião, dois de meus primeiros colegas de jornalismo e literatura. Ari Barroso, o celebrado compositor que, sendo mineiro, não deixou de enaltecer a Bahia com o seu *Tabuleiro da Baiana*. Eloy Heraldo Lima, velho amigo e companheiro de geração, tem para mim como mérito maior o de ser fundador da SBEM — Sociedade Brasileira dos Ex-Meninos.

p. 190   "(...) de nome dos Arcanjos, dito Belmyro (...) de amanuense, passou a escriba maior da montanha (...)" — Outra referência a Cyro dos Anjos, autor dos romances *Amanuense Belmiro* e *Montanha*.

p. 207   "(...) teve a sorte de ser confiado, logo que chegou, ao Dr. P. Legrino (...)" — Hélio Pellegrino, um de meus três melhores amigos, juntamente com Otto Lara Resende e Paulo Mendes Campos.

p. 208   "(...) conversando sobre a poesia em pânico de Murilo Mendes." — Poeta mineiro, natural de Juiz de Fora, autor, entre outros, de *A Poesia em Pânico*.

p. 215   "Um jornalista atento e vivo de nome Figueiró (...)" — Wilson Figueiredo, jornalista e poeta, autor do livro *Mecânica do Azul* — outro companheiro desde meus primeiros tempos de literatura.

p. 216   "É uma espécie de Antônio Conselheiro. Acho que teremos em Minas um novo Canudos." — Chefe religioso que liderou a Campanha de Canudos, na Bahia. Em *Os Sertões*,

Euclides da Cunha o descreve como um homem "de cabelos crescidos até os ombros, barba inculta e longa, olhar fulgurante" — o que não deixa de ser uma descrição a calhar para o Grande Mentecapto, ao iniciar a sua rebelião.

p. 220 "— Agora é tarde, Inês é morta. Sinto muito, mas chorar não posso." — A última frase é atribuída ainda ao mineiro Delfim Moreira, Vice-Presidente da República, que assim se teria manifestado, ao saber da derrota de Rui Barbosa como candidato à sucessão do falecido Presidente Rodrigues Alves. Já a menção a Inês é inspirada na morte de Inês de Castro, amante de D. Pedro I, assassinada com a conivência de D. Afonso, Rei de Portugal e de D. Fernando, candidato ao trono. Camões se refere ao episódio em *Os Lusíadas* — embora eu não encontre no poema literalmente a expressão "Agora é tarde, Inês é morta", não deixa de ser para mim curiosa coincidência que a última estrofe do Canto III contenha estes dois versos:

Desculpado por certo está Fernando,
Para quem tem de amor experiência.

p. 235 Bibliografia — Com as exceções mais ou menos óbvias, na sua maioria as "obras" constantes da Bibliografia sobre Viramundo, em homenagem a vários escritores mineiros, não passam de um desejo do autor de que elas realmente existissem.

SOBRE O AUTOR

FERNANDO (Tavares) Sabino nasceu em Belo Horizonte, a 12 de outubro de 1923. Fez o curso primário no Grupo Escolar Afonso Pena e o secundário no Ginásio Mineiro, em Belo Horizonte. Aos 13 anos escreveu seu primeiro trabalho literário, Uma Ameaça de Morte, *conto policial publicado numa revista da Polícia Mineira.*

Passou a escrever crônicas sobre rádio, com que concorria a um concurso permanente da revista Carioca, *do Rio de Janeiro, obtendo vários prêmios. Matriculou-se na Faculdade de Direito em 1941, terminando o curso em 1946 na Faculdade Federal do Rio de Janeiro.*

Ainda na adolescência, publicou seu primeiro livro, Os Grilos Não Cantam Mais *(1941), de contos. Mário de Andrade escreveu-lhe uma carta elogiosa, dando início à preciosa correspondência entre ambos. Anos mais tarde publicaria as cartas do escritor paulista em livro, sob o título* Cartas a um Jovem Escritor *(1982), acrescidas em 2003 de* "E suas Respostas". *Em 1944 publica a novela* A Marca *e muda-se para o Rio. Em 1946 vai para Nova York, onde fica dois anos, com preciosa iniciação na leitura dos escritores de língua inglesa. Neste período escreveu crônicas semanais sobre a vida americana para jornais brasileiros, várias reunidas em seu livro* A Cidade Vazia *(1950), acrescido em 1976 da premonitória reportagem* Medo em Nova York.

Iniciou ali o romance O Grande Mentecapto, *que só viria retomar 33 anos mais tarde, para terminar em 18 dias e lançá-lo em 1976, conquistando verdadeira consagração nacional com sucessivas edições (Prêmio Jabuti para Romance, São Paulo, 1980).*

Em 1989 o livro serviria de argumento para um filme de sucesso, estrelado por Diogo Vilela, sob a direção de Oswaldo Caldeira.

Em 1952 lança o livro de novelas A Vida Real, *no qual aprimora sua técnica em novas experiências literárias, e em 1954* Lugares-Comuns, Dicionário de Lugares-Comuns e Ideias Convencionais, *como complemento à sua tradução do dicionário de Flaubert.* Com O Encontro Marcado *(1956), primeiro romance, Fernando Sabino abre à sua carreira um caminho novo dentro da literatura nacional*

Morou em Londres de 1964 a 1966. Tornou-se sócio de Rubem Braga como editor (Editora do Autor, 1960, e Editora Sabiá, 1967). Seguiram-se os livros de contos e crônicas O Homem Nu *(1960),* A Mulher do Vizinho *(1962, Prêmio Fernando Chinaglia do Pen Club do Brasil),* A Companheira de Viagem *(1965),* A Inglesa deslumbrada *(1967),* Gente I e II *(1975),* Deixa o Alfredo Falar! *(1976),* O Encontro das Águas *(1977),* A Falta que Ela me Faz *(1980),* O Gato Sou Eu *(1983). Com eles reafirmou suas qualidades de prosador, capaz de explorar com fino senso de humor o lado pitoresco ou poético do dia a dia, colhendo de fatos cotidianos e personagens obscuros verdadeiras lições de vida, graça e beleza.*

Viajou várias vezes ao exterior, visitando países da América, da Europa, da África e do Extremo Oriente e escrevendo sobre sua experiência em crônicas para jornais e revistas. Passou a dedicar-se também ao cinema, realizando em 1972, com David Neves em Los Angeles, uma série de minidocumentários sobre Hollywood para a TV Globo. Funda a Bem-te-vi Filmes, produzindo, com David Neves e Mair Tavares sob sua direção, curtas-metragens sobre feiras internacionais em Assunção (1973), Teerã (1975), México (1976), Argel (1978) e Hannover (1980). Diri-

giu ainda a série "Literatura Nacional Contemporânea", documentários sobre 10 dos maiores escritores brasileiros da atualidade: Carlos Drummond de Andrade, Vinicius de Moraes, João Cabral de Melo Neto, Manuel Bandeira, Érico Veríssimo, Jorge Amado, João Guimarães Rosa, Pedro Nava, José Américo de Almeida e Afonso Arinos de Melo Franco.

Publicou ainda O Menino no Espelho (1982), romance das reminiscências de sua infância; A Faca de Dois Gumes (1985), uma trilogia de amor, intriga e mistério; O Pintor que Pintou o Sete, história infantil baseada em quadros de Carlos Scliar; O Tabuleiro de Damas (1998), "trajetória do menino ao homem feito" e De Cabeça para Baixo, em 1989, sobre "o desejo de partir e a alegria de voltar" — relato de suas andanças, vivências e tropelias pelo mundo afora... Em 1990 lançou A Volta por Cima, coletânea de crônicas e histórias curtas. E em 1991 a Editora Ática publicou uma tiragem de 500 mil exemplares de sua novela O Bom Ladrão, um recorde editorial no mundo inteiro. No mesmo ano é lançado seu livro Zélia, uma Paixão, biografia romanceada da ex-ministra da Economia Zélia Cardoso de Mello. Em 1993 publicou Aqui Estamos Todos Nus, uma trilogia de emocionantes novelas, lançadas também em separado pela Editora Ática: Um Corpo de Mulher, A Nudez da Verdade e Os Restos Mortais. Em 1994 foi editado pela Record Com a Graça de Deus — "leitura fiel do Evangelho inspirada no humor de Jesus". Em 1996 relançou, em edição revista e aumentada, De Cabeça para Baixo, relato de suas viagens pelo mundo afora, e Gente, encontro do autor ao longo do tempo com as grandes figuras que vivem "na cadência da arte". Também em 1996, a Editora Nova Aguilar publicou em 3 volumes a sua Obra Reunida. Em 1998 a Editora Ática lançou, em separado, a novela

O Homem Feito, *do livro* A Vida Real, *e* Amor de Capitu, *recriação literária do romance* Dom Casmurro, *de Machado de Assis. E ainda em 1998, além de* O Galo Músico, *"contos e novelas da juventude à maturidade, do desejo ao amor", a* Record *editou o livro de crônicas e histórias* No Fim Dá Certo — *"se não deu certo é porque não chegou ao fim". Em 1999 Fernando Sabino foi agraciado com o Prêmio Machado de Assis da Academia Brasileira de Letras pelo Conjunto de Obra. No mesmo ano a Editora Record lançou a* Chave do Enigma, *de crônicas e histórias (Prêmio Álvaro Moreyra da União Brasileira de Escritores e Academia Carioca de Letras), contendo, além de excelentes criações literárias, a solução do mistério do que é ser mineiro ("consiste em não tocar neste assunto"). Em 2001 o autor reuniu em* Livro Aberto *as suas "páginas soltas ao longo do tempo", e em* Cartas Perto do Coração, *sua correspondência com* Clarice Lispector. *Em* Cartas na Mesa, *apresentou em 2002 as que enviou aos seus melhores amigos da vida inteira Hélio Pellegrino, Otto Lara Resende e Paulo Mendes Campos.*

Durante sua estada em Nova York em 1946 o então jovem escritor produziu secretamente o romance Os Movimentos Simulados, *cujos originais trouxe consigo de volta ao Brasil e conservou-o inédito, para enfim publicá-lo em 2004, literalmente como foi concebido há quase 60 anos.*

Fernando Sabino faleceu em 11 de outubro de 2004, na véspera de completar 81 anos.

Este livro foi composto na tipografia Minion, em
corpo 11,5/16, e impresso em papel off-white
no Sistema Cameron da Divisão Gráfica
da Distribuidora Record.